Éric-Emmanuel Schmitt

Oscar et la dame rose

Herausgegeben von
Wolfgang Ader und Gerhard Krüger

Philipp Reclam jun. Stuttgart

Diese Ausgabe darf nur in der Bundesrepublik Deutschland, in Österreich und in der Schweiz vertrieben werden.

RECLAMS UNIVERSAL-BIBLIOTHEK Nr. 9128
Alle Rechte vorbehalten
Copyright für diese Ausgabe
© 2004 Philipp Reclam jun. GmbH & Co., Stuttgart
Copyright für den Text © 2002 Éditions Albin Michel S.A., Paris
Bibliographisch aktualisierte Ausgabe 2009
Umschlagillustration: Marcelino Truong
Gesamtherstellung: Reclam, Ditzingen. Printed in Germany 2009
RECLAM, UNIVERSAL-BIBLIOTHEK und RECLAMS
UNIVERSAL-BIBLIOTHEK sind eingetragene Marken
der Philipp Reclam jun. GmbH & Co., Stuttgart
ISBN 978-3-15-009128-9

www.reclam.de

À Danielle Darrieux

[Widmung] **Danielle Darrieux:** berühmte französische Theater-, Film- und Fernsehschauspielerin (geb. 1917), die 2003 die Mamie-Rose auf der Bühne gespielt hatte (Comédie des Champs-Élysées; Regie: Christophe Lidon) und dafür mit dem »Molière«, dem bedeutendsten französischen Theaterpreis, als beste Schauspielerin ausgezeichnet worden war.

Cher Dieu,

Je m'appelle Oscar, j'ai dix ans, j'ai foutu le feu au chat, au chien, à la maison (je crois même que j'ai grillé les poissons rouges) et c'est la première let-
5 tre que je t'envoie parce que jusqu'ici, à cause de mes études, j'avais pas le temps.

Je te préviens tout de suite: j'ai horreur d'écrire. Faut vraiment que je sois obligé. Parce qu'écrire c'est guirlande, pompon, risette, ruban, et cetera.
10 Écrire, c'est rien qu'un mensonge qui enjolive. Un truc d'adultes.

La preuve? Tiens, prends le début de ma lettre: «Je m'appelle Oscar, j'ai dix ans, j'ai foutu le feu au chat, au chien, à la maison (je crois même que
15 j'ai grillé les poissons rouges) et c'est la pre-

---

2 **foutre le feu à qc** (fam.): etwas anzünden, etwas in Brand set-
zen (*foutre*, pop.: machen, tun; geben; schmeißen).
4 **le poisson rouge:** Goldfisch.
7 **prévenir qn:** jdn. benachrichtigen, warnen.
9 **c'est guirlande, pompon, risette, ruban:** etwa: das ist Firlefanz,
Quark, Blödsinn, Kokolores (*le pompon:* Bommel, Troddel;
faire risette à qn: jdn. anlächeln; *le ruban:* [Ordens- usw.]
Band).
10 **enjoliver:** verzieren, ausschmücken, hinzudichten.
11 **le truc** (fam.): Sache, Ding.

mière lettre que je t'envoie parce que jusqu'ici, à cause de mes études, j'avais pas le temps», j'aurais pu aussi bien mettre: «On m'appelle Crâne d'Œuf, j'ai l'air d'avoir sept ans, je vis à l'hôpital à cause de mon cancer et je ne t'ai jamais adressé la parole parce que je crois même pas que tu existes.»

Seulement si j'écris ça, ça la fout mal, tu vas moins t'intéresser à moi. Or j'ai besoin que tu t'intéresses.

Ça m'arrangerait même que tu aies le temps de me rendre deux ou trois services.

Je t'explique.

L'hôpital, c'est un endroit super-sympa, avec plein d'adultes de bonne humeur qui parlent fort, avec plein de jouets et de dames roses qui veulent s'amuser avec les enfants, avec des copains tou-

---

3 f. **crâne d'œuf:** Eierkopf (*le crâne:* Schädel).

5 **le cancer:** Krebs (Krankheit).

8 **ça la fout mal** (pop.): das macht einen schlechten Eindruck, das wär blöd.

9 **or:** (nun) aber, jedoch.

11 **ça m'arrangerait:** das würde mir gut passen, es käme mir sehr entgegen.

14 **sympa** (fam.): *sympathique.*

15 **plein de ...** (fam.): viele ..., jede Menge ...

16 **les dames roses:** ehrenamtliche Helferinnen (Besuchsdienst) im Krankenhaus, so genannt wegen ihrer Dienstkleidung; in Deutschland entsprechen ihnen die »Grünen Damen« der Ökumenischen Krankenhaushilfe.

jours disponibles comme Bacon, Einstein ou Pop
Corn, bref, l'hôpital, c'est le pied si tu es un malade qui fait plaisir.

Moi, je ne fais plus plaisir. Depuis ma greffe
5 de moelle osseuse, je sens bien que je ne fais
plus plaisir. Quand le docteur Düsseldorf m'exa-
mine, le matin, le cœur n'y est plus, je le déçois. Il
me regarde sans rien dire comme si j'avais fait une
erreur. Pourtant je me suis appliqué, moi, à l'opé-
10 ration; j'ai été sage, je me suis laissé endormir, j'ai
eu mal sans crier, j'ai pris tous les médicaments.
Certains jours, j'ai envie de lui gueuler dessus, de
lui dire que c'est peut-être lui, le docteur Düsseldorf, avec ses sourcils noirs, qui l'a ratée, l'opéra-
15 tion. Mais il a l'air tellement malheureux que les in-

---

1 **être disponible:** verfügbar sein, nichts vorhaben, zur Verfü-
gung stehen.

1f. **Bacon / Einstein / Pop Corn:** Spitznamen kranker Kinder (*le
bacon*, angl.: [kross gebratener] Frühstücksspeck – zur Erklärung der Namen s. S. 13, 19f., 21).

2 **c'est le pied** (fam.): das ist toll, Klasse, ‚geil‘.

4 **la greffe:** Transplantation.

5 **la moelle osseuse:** Knochenmark.

7 **le cœur n'y est pas:** er/sie ist nicht mit ganzem Herzen dabei.
decevoir qn: jdn. enttäuschen.

9 **s'appliquer:** sich bemühen, anstrengen, sich Mühe geben.

10 **sage:** brav.

12 **gueuler dessus à qn** (fam.): jdn. anschreien, jdn. anbrüllen.

14 **le sourcil:** Augenbraue.
rater qc: etwas verpfuschen, vermasseln.

15f. **une insulte:** Beleidigung.

sultes me restent dans la gorge. Plus le docteur Düsseldorf se tait avec son œil désolé, plus je me sens coupable. J'ai compris que je suis devenu un mauvais malade, un malade qui empêche de croire
5 que la médecine, c'est formidable.

La pensée d'un médecin, c'est contagieux. Maintenant tout l'étage, les infirmières, les internes et les femmes de ménage, me regarde pareil. Ils ont l'air tristes quand je suis de bonne humeur; ils se
10 forcent à rire quand je sors une blague. Vrai, on rigole plus comme avant.

Il n'y a que Mamie-Rose qui n'a pas changé. À mon avis, elle est de toute façon trop vieille pour changer. Et puis elle est trop Mamie-Rose, aussi.
15 Mamie-Rose, je te la présente pas, Dieu, c'est une bonne copine à toi, vu que c'est elle qui m'a dit de t'écrire. Le problème, c'est qu'il n'y a que moi qui l'appelle Mamie-Rose. Donc faut que tu fasses un effort pour voir de qui je parle: parmi les dames en
20 blouse rose qui viennent de l'extérieur passer du temps avec les enfants malades, c'est la plus vieille de toutes.

– C'est quoi votre âge, Mamie-Rose?

---

6 **contagieux, se:** ansteckend.

7 **un/une interne:** Assistenzarzt, -ärztin.

10 **la blague** (fam.): Witz.

10 f. **rigoler** (fam.): Witze, Späße machen, seinen Spaß haben.

12 **la mamie** (enf.): Oma, Omi.

16 **vu que:** da, weil.

– Tu peux retenir les nombres à treize chiffres, mon petit Oscar?

– Oh! Vous charriez!

– Non. Il ne faut surtout pas qu'on sache mon âge ici sinon je me fais chasser et nous ne nous verrons plus.

– Pourquoi?

– Je suis là en contrebande. Il y a un âge limite pour être dame rose. Et je l'ai largement dépassé.

– Vous êtes périmée?

– Oui.

– Comme un yaourt?

– Chut!

– O.K.! Je dirai rien.

Elle a été vachement courageuse de m'avouer son secret. Mais elle est tombée sur le bon numéro. Je serai muet même si je trouve étonnant, vu

---

1 **retenir qc:** sich etwas merken, etwas (im Gedächtnis) behalten.

3 **charrier** (fam.): jdn. auf den Arm nehmen, Witze machen.

8 **en contrebande:** eingeschmuggelt (*la contrebande:* Schmuggel, Schmuggelware).

un âge limite: Altersgrenze.

9 **largement** (adv.): weit, reichlich, bei weitem.

10 **périmé, e:** abgelaufen, verfallen.

15 **vachement** (fam.): mächtig, verdammt (sehr).

16 f. **tomber sur le bon numero** (fig.): Glück haben (in der Lotterie gewinnen usw.).

17 **muet, te:** stumm; hier (fig.): verschwiegen.

vu: angesichts, in Anbetracht.

toutes les rides qu'elle a, comme des rayons de soleil autour des yeux, que personne ne s'en soit douté.

Une autre fois j'ai appris un de ses autres secrets, et avec ça, c'est sûr, Dieu, tu vas pouvoir l'identifier.

On se promenait dans le parc de l'hôpital et elle a marché sur une crotte.

– Merde!

– Mamie-Rose, vous dites des vilains mots.

– Oh, toi, le môme, lâche-moi la grappe un instant, je parle comme je veux.

– Oh Mamie-Rose!

– Et bouge-toi le cul. On se promène, là, on ne fait pas une course d'escargots.

Quand on s'est assis pour sucer un bonbon sur un banc, je lui ai demandé:

– Comment se fait-il que vous parliez si mal?

– Déformation professionnelle, mon petit Os-

---

1 **la ride:** Falte.
1f. **les rayons** (m.) **de soleil:** Sonnenstrahlen.
8 **la crotte:** Hundehaufen.
10 **vilain, e:** ungezogen, schlimm, unanständig.
11 **le môme** (fam.): Junge.
lâcher la grappe (fig.): die Klappe halten.
14 **bouge-toi le cul** (fam.): beweg deinen Hintern.
15 **un escargot:** Schnecke.
19 **la déformation professionnelle:** die Folgen des Berufs, Berufsschaden.

car. Dans mon métier, j'étais foutue si j'avais le vocabulaire trop délicat.

   – Et c'était quoi votre métier?
   – Tu ne vas pas me croire …
5 – Je vous jure que je vous croirai.
   – Catcheuse.
   – Je ne vous crois pas!
   – Catcheuse! On m'avait surnommée l'Étrangleuse du Languedoc.
10   Depuis, quand j'ai un coup de morosité et qu'elle
est certaine que personne ne peut nous entendre,
Mamie-Rose me raconte ses grands tournois:
l'Étrangleuse du Languedoc contre la Charcutière
du Limousin, sa lutte pendant vingt ans contre
15 Diabolica Sinclair, une Hollandaise qui avait des
obus à la place des seins, et surtout sa coupe du
monde contre Ulla-Ulla, dite la Chienne de Bu-

---

1 **être foutu** (pop.): verloren, ‚geliefert‘ sein.
6 **le catcheur / la catcheuse** (angl.): Catcher(in).
8f. **l'Étrangleuse du Languedoc:** die Würgerin vom Languedoc
   (*le Languedoc:* Landschaft in Südfrankreich).
10 **avoir un coup de morosité** (fam.): nicht gut drauf sein (*la mo-*
   rosité: Missmut, Verdrossenheit).
12 **le tournoi:** hier: Kampf.
13f. **la Charcutière du Limousin:** die Schlächterin vom Limousin
   (*le Limousin:* Landschaft in Mittelfrankreich).
16 **un obus:** Granate.
   les seins m.: Brüste, Busen.
16f. **la coupe du monde:** Weltmeisterschaft (*la coupe:* Pokal).
17f. **la Chienne de Buchenwald:** die Hündin von Buchenwald (*Bu-*
   chenwald: Konzentrations- und Vernichtungslager bei Weimar).

chenwald, qui n'avait jamais été battue, même par Cuisses d'Acier, le grand modèle de Mamie-Rose quand elle était catcheuse. Moi, ça me fait rêver ses combats, parce que j'imagine ma copine
5 comme maintenant sur le ring, une petite vieille en blouse rose un peu branlante en train de foutre la pâtée à des ogresses en maillot. J'ai l'impression que c'est moi. Je deviens le plus fort. Je me venge.

Bon, si avec tous ces indices, Mamie-Rose ou
10 l'Étrangleuse du Languedoc, tu ne repères pas qui est Mamie-Rose, Dieu, alors il faut arrêter d'être Dieu et prendre ta retraite. Je pense que j'ai été clair?

Je reviens à mes affaires.

15 Bref, ma greffe a beaucoup déçu ici. Ma chimio décevait aussi mais c'était moins grave parce qu'on avait l'espoir de la greffe. Maintenant, j'ai l'impression que les toubibs ne savent plus quoi pro-

---

2 **Cuisses d'Acier** (m.): Stahlschenkel (*la cuisse:* [Ober-]Schenkel).
6 **branlant, e:** wackelig.
6f. **foutre la pâtée à qn** (fam.): jdn. verdreschen, verprügeln.
7 **un ogre / une ogresse:** Menschenfresser(in), Riese, -in (im Märchen).
le maillot: Badeanzug, Trikot.
8 **se venger:** sich rächen.
10 **repérer qn:** jdn. ausfindig machen, jdn. erkennen.
12 **prendre sa retraite:** in Rente gehen.
15 **la chimio** (fam.): *la chimiothérapie:* Chemotherapie.
18 **le toubib** (fam.): Arzt, Doktor.

poser, même que ça fait pitié. Le docteur Düsseldorf, que maman trouve si beau quoique moi je le trouve un peu fort des sourcils, il a la mine désolée d'un Père Noël qui n'aurait plus de cadeaux dans sa hotte.

L'atmosphère se détériore. J'en ai parlé à mon copain Bacon. En fait il s'appelle pas Bacon, mais Yves, mais nous on l'a appelé Bacon parce que ça lui va beaucoup mieux, vu qu'il est un grand brûlé.

– Bacon, j'ai l'impression que les médecins ne m'aiment plus, je les déprime.

– Tu parles, Crâne d'Œuf! Les médecins, c'est inusable. Ils ont toujours plein d'idées d'opérations à te faire. Moi, j'ai calculé qu'ils m'en ont promis au moins six.

– Peut-être que tu les inspires.

– Faut croire.

– Mais pourquoi ils ne me disent pas tout simplement que je vais mourir?

Là, Bacon, il a fait comme tout le monde à l'hôpital: il est devenu sourd. Si tu dis «mourir» dans un hôpital, personne n'entend. Tu peux être sûr qu'il va y avoir un trou d'air et que l'on va parler

---

5 **la hotte:** Tragkorb, Kiepe, Sack (des Weihnachtsmanns).
6 **se détériorer:** sich verschlechtern, verschlimmern.
9 **un grand brûlé:** jd. mit schweren Verbrennungen.
13 **inusable:** unverwüstlich.
21 **sourd, e:** taub.

d'autre chose. J'ai fait le test avec tout le monde. Sauf avec Mamie-Rose.

Alors ce matin, j'ai voulu voir si, elle aussi, elle devenait dure de la feuille à ce moment-là.

5 – Mamie-Rose, j'ai l'impression que personne ne me dit que je vais mourir.

Elle me regarde. Est-ce qu'elle va réagir comme les autres? S'il te plaît, l'Étrangleuse du Languedoc, résiste et conserve tes oreilles!

10 – Pourquoi veux-tu qu'on te le dise si tu le sais, Oscar!

Ouf, elle a entendu.

– J'ai l'impression, Mamie-Rose, qu'on a inventé un autre hôpital que celui qui existe vraiment. 15 On fait comme si on ne venait à l'hôpital que pour guérir. Alors qu'on y vient aussi pour mourir.

– Tu as raison, Oscar. Et je crois qu'on fait la même erreur pour la vie. Nous oublions que la vie est fragile, friable, éphémère. Nous faisons tous 20 semblant d'être immortels.

– Elle est ratée, mon opération, Mamie-Rose?

Mamie-Rose n'a pas répondu. C'était sa manière à elle de dire oui. Quand elle a été sûre que

---

4 **devenir dur, e de la feuille** (fig.): schwerhörig werden, auf Durchzug stellen.
19 **fragile:** zerbrechlich, vergänglich.
friable: brüchig, leicht zerstörbar.
éphémère: vergänglich, kurzlebig.
20 **immortel, le:** unsterblich.

j'avais compris, elle s'est approchée et m'a demandé, sur un ton suppliant:

– Je ne t'ai rien dit, bien sûr. Tu me le jures?

– Juré.

On s'est tus un petit moment, histoire de bien
remuer toutes ces nouvelles pensées.

– Si tu écrivais à Dieu, Oscar?

– Ah non, pas vous, Mamie-Rose!

– Quoi, pas moi?

– Pas vous! Je croyais que vous n'étiez pas men-
teuse.

– Mais je ne te mens pas.

– Alors pourquoi vous me parlez de Dieu? On
m'a déjà fait le coup du Père Noël. Une fois suffit!

– Oscar, il n'y a aucun rapport entre Dieu et le
Père Noël.

– Si. Pareil. Bourrage de crâne et compagnie!

– Est-ce que tu imagines que moi, une ancienne
catcheuse, cent soixante tournois gagnés sur cent
soixante-cinq, dont quarante-trois par K.-O.,
l'Étrangleuse du Languedoc, je puisse croire une
seconde au Père Noël?

---

2 **suppliant, e:** flehend.
5 **histoire de** (+ inf.): um zu.
6 **remuer qc:** sich etwas durch den Kopf gehen lassen.
14 **faire un coup à qn:** jdn. reinlegen.
17 **le bourrage de crâne** (fig.): Vollstopfen des Gehirns, Indoktri-
nierung, (bewusste) Irreführung.
et compagnie (fam.): usw.

– Non.

– Eh bien je ne crois pas au Père Noël mais je crois en Dieu. Voilà.

Évidemment, dit comme ça, ça changeait tout.

5 – Et pourquoi est-ce que j'écrirais à Dieu?

– Tu te sentirais moins seul.

– Moins seul avec quelqu'un qui n'existe pas?

– Fais-le exister.

Elle s'est penchée vers moi.

10 – Chaque fois que tu croiras en lui, il existera un peu plus. Si tu persistes, il existera complètement. Alors, il te fera du bien.

– Qu'est-ce que je peux lui écrire?

– Livre-lui tes pensées. Des pensées que tu ne 15 dis pas, ce sont des pensées qui pèsent, qui s'incrustent, qui t'alourdissent, qui t'immobilisent, qui prennent la place des idées neuves et qui te pourrissent. Tu vas devenir une décharge à vieilles pensées qui puent si tu ne parles pas.

20 – O.K.

---

9 **se pencher vers qn:** sich zu jdm. hinabbeugen.
11 **persister:** nicht nachlassen, beharrlich weitermachen, durchhalten.
15f. **s'incruster:** sich einnisten.
16 **alourdir:** belasten.
　immobiliser: unbeweglich machen, erstarren lassen.
17f. **pourrir qn:** jdn. verderben, jdn. verkümmern lassen.
18 **la décharge:** Müllkippe.
19 **puer:** stinken.

– Et puis, à Dieu, tu peux lui demander une chose par jour. Attention! Une seule.

– Il est nul, votre Dieu, Mamie-Rose. Aladin, il avait droit à trois vœux avec le genie de la lampe.

– Un vœu par jour, c'est mieux que trois dans une vie, non?

– O.K. Alors je peux tout lui commander? Des jouets, des bonbons, une voiture …

– Non, Oscar. Dieu n'est pas le Père Noël. Tu ne peux demander que des choses de l'esprit.

– Exemple?

– Exemple: du courage, de la patience, des éclaircissements.

– O.K. Je vois.

– Et tu peux aussi, Oscar, lui suggérer des faveurs pour les autres.

– Un vœu par jour, Mamie-Rose, faut pas déconner, je vais d'abord le garder pour moi!

Voilà. Alors Dieu, à l'occasion de cette première lettre, je t'ai montré un peu le genre de vie

---

3 **Aladin:** Held aus *1001 Nacht* (»Aladin und die Wunderlampe«).
4 **le vœu:** Wunsch.
   le génie: hier: Geist.
14 **un éclaircissement:** Erklärung, Erkenntnis.
16 **suggérer:** vorschlagen.
16f. **la faveur:** Gunst.
18f. **déconner** (fam.): Stuss, Mist reden, ,spinnen'.

que j'avais ici, à l'hôpital, où on me regarde maintenant comme un obstacle à la médecine, et j'aimerais te demander un éclaircissement: est-ce que je vais guérir? Tu réponds oui ou non. C'est pas bien compliqué. Oui ou non. Tu barres la mention inutile.

À demain, bisous,
Oscar.

P.-S. Je n'ai pas ton adresse: comment je fais?

---

2 **un obstacle:** Hindernis, Hemmnis, Behinderung.
5 f. **barrer la mention inutile:** das Nichtzutreffende (durch)streichen.

Cher Dieu,

Bravo! Tu es très fort. Avant même que j'aie posté
la lettre, tu me donnes la réponse. Comment fais-
tu?
5   Ce matin, je jouais aux échecs avec Einstein
dans la salle de récréation lorsque Pop Corn est
venu me prévenir:
    – Tes parents sont là.
    – Mes parents? C'est pas possible. Ils ne vien-
10 nent que le dimanche.
    – J'ai vu la voiture, une Jeep rouge avec la
bâche blanche.
    – C'est pas possible.
    J'ai haussé les épaules et j'ai continué à jouer
15 avec Einstein. Mais comme j'étais préoccupé, Einstein me piquait toutes mes pièces, et ça m'a encore plus énervé. Si on l'appelle Einstein, c'est pas
parce qu'il est plus intelligent que les autres mais
parce qu'il a la tête qui fait le double de volume. Il

---

5 **jouer aux échecs:** Schach spielen.
6 **la salle de récréation:** Aufenthaltsraum.
12 **la bâche:** (Wagen-)Plane, Verdeck (bei Cabrios usw.).
15 **être préoccupé, e:** beunruhigt, besorgt sein.
16 **piquer qc à qn** (fam.): jdm. etwas wegnehmen.
    la pièce: hier: Spielstein, Figur.

paraît que c'est de l'eau à l'intérieur. C'est dommage, ç'aurait été de la cervelle, il aurait pu faire de grandes choses, Einstein.

Quand j'ai vu que j'allais perdre, j'ai laissé tom-
5 ber le jeu et j'ai suivi Pop Corn dont la chambre donne sur le parking. Il avait raison: mes parents étaient arrivés.

Il faut te dire, Dieu, qu'on habite loin, mes parents et moi. Je ne m'en rendais pas compte quand
10 j'y habitais mais maintenant que je n'y habite plus, je trouve que c'est vraiment loin. Du coup, mes parents ne peuvent venir me voir qu'une fois par semaine, le dimanche, parce que le dimanche ils ne travaillent pas, ni moi non plus.

15 – Tu vois que j'avais raison, a dit Pop Corn. Combien tu me donnes pour t'avoir prévenu?

– J'ai des chocolats aux noisettes.

– T'as plus de fraises Tagada?

– Non.

20 – O.K. pour les chocolats.

---

2 **ç'aurait été …, il aurait pu …** (fam.): wenn es … gewesen wäre, hätte er …
la cervelle: Gehirn.
6 **donner sur le parking:** zum Parkplatz hinaus liegen (Zimmer).
11 **du coup:** deshalb.
17 **le chocolat aux noisettes:** Nussschokolade (*la noisette:* Haselnuss).
18 **les fraises** (f.) **Tagada:** Gummibärchen mit Erdbeergeschmack (Markenname).

Évidemment, on n'a pas le droit de donner à manger à Pop Corn vu qu'il est là pour maigrir. Quatre-vingt-dix-huit kilos à neuf ans, pour un mètre dix de haut sur un mètre dix de large! Le seul
5 vêtement dans lequel il rentre tout entier, c'est un sweat-shirt de polo américain. Et encore, les rayures ont le mal de mer. Franchement, comme aucun de mes copains ni moi on croit qu'il pourra jamais arrêter d'être gros et qu'il nous fait pitié tellement
10 il a faim, on lui donne toujours nos restes. C'est minuscule, un chocolat, par rapport à une telle masse de graisse! Si on a tort, alors que les infirmières cessent, elles aussi, de lui fourrer des suppositoires.

Je suis retourné dans ma chambre pour attendre
15 mes parents. Au début, je n'ai pas vu passer les minutes parce que j'étais essoufflé puis je me suis rendu compte qu'ils avaient eu quinze fois le temps d'arriver jusqu'à moi.

Soudain, j'ai deviné où ils étaient. Je me suis
20 glissé dans le couloir; quand personne ne me voy-

6f. **la rayure:** Streifen.
7 **avoir le mal de mer:** seekrank sein.
12 **la graisse:** Fett.
   avoir tort: im Unrecht sein, sich irren.
13 **fourrer qc à qn** (fam.): jdm. etwas verabreichen, jdn. mit etwas voll stopfen.
   le suppositoire: Zäpfchen.
16 **essoufflé, e:** außer Atem.
19f. **se glisser:** (sich) schleichen, schlüpfen (*glisser:* gleiten, rutschen).

...it, j'ai descendu l'escalier, puis j'ai marché dans la pénombre jusqu'au bureau du docteur Düsseldorf.

Gagné! Ils étaient là. Les voix m'arrivaient de derrière la porte. Comme j'étais épuisé par la des-
5 cente, j'ai pris quelques secondes pour remettre mon cœur en place et c'est là que tout s'est détra-qué. J'ai entendu ce que j'aurais pas dû entendre. Ma mère sanglotait, le docteur Düsseldorf répétait: «Nous avons tout essayé, croyez bien que nous
10 avons tout essayé» et mon père répondait d'une voix étranglée: «J'en suis sûr, docteur, j'en suis sûr.»

Je suis resté l'oreille collée à la porte de fer. Je savais plus qui était le plus froid, le métal ou moi.

Puis le docteur Düsseldorf a dit:
15 – Est-ce que vous voulez l'embrasser?

– Je n'aurai jamais le courage, a dit ma mère.

– Il ne faut pas qu'il nous voie dans cet état, a rajouté mon père.

Et c'est là que j'ai compris que mes parents
20 étaient deux lâches. Pire: deux lâches qui me pre-naient pour un lâche!

---

2 **la pénombre:** Halbdunkel.
4 **épuisé, e:** erschöpft.
6f. **se détraquer:** kaputtgehen.
8 **sangloter:** schluchzen.
10f. **d'une voix étranglée:** mit erstickter Stimme.
12 **coller:** kleben; hier: pressen.
18 **rajouter:** hinzufügen, (noch) drauflegen.
20 **le/la lâche:** Feigling.

Comme il y avait des bruits de chaises dans le bureau, j'ai deviné qu'ils allaient sortir et j'ai ouvert la première porte qui se présentait.

C'est comme ça que je me suis retrouvé dans le
5 placard à balais où j'ai passé le reste de la matinée car, peut-être que tu le sais pas, Dieu, mais les placards à balais, ça s'ouvre de l'extérieur, pas de l'intérieur, comme si on avait peur que, la nuit, les balais, les seaux et les serpillières, ils se barrent!

10 De toute façon, ça ne me gênait pas d'être enfermé dans le noir parce que je n'avais plus envie de voir personne et parce que mes jambes et mes bras ne répondaient plus tellement après le choc que ça m'avait fait, entendre ce que j'avais entendu.

15 Vers les midi, j'ai senti que ça s'agitait pas mal à l'étage au-dessus. J'écoutais les pas, les cavalcades. Puis on s'est mis à crier mon nom de partout:

– Oscar! Oscar!

Ça me faisait du bien de m'entendre appeler
20 et de ne pas répondre. J'avais envie d'embêter la terre entière.

---

3 **se présenter:** hier: sich anbieten.
6f. **le placard à balai:** Besenschrank.
9 **le seau:** Eimer.
   la serpillière: Putzlappen, Scheuertuch.
   se barrer (fam.): abhauen.
15 **s'agiter:** hin und her laufen, aufgeregt werden.
16 **la cavalcade:** Getrappel.
20 **embêter qn** (fam.): jdn. ärgern, nerven.

Après, je crois que j'ai un peu dormi, puis j'ai perçu les galoches traînantes de Madame N'da, la femme de service. Elle a ouvert la porte et là, on s'est fait vraiment peur, on a hurlé très fort, elle parce qu'elle s'attendait pas à me trouver là, moi parce que je ne me souvenais pas qu'elle était aussi noire. Ni qu'elle criait aussi fort.

Après, ça a été une sacrée mêlée. Ils sont tous venus, le docteur Düsseldorf, l'infirmière-chef, les infirmières de service, les autres femmes de ménage. Alors que je croyais qu'ils allaient m'engueuler, ils se sentaient tous morveux et j'ai vu qu'il fallait vite tirer profit de la situation.

– Je veux voir Mamie-Rose.

– Mais où étais-tu passé, Oscar? Comment te sens-tu?

– Je veux voir Mamie-Rose.

– Comment t'es-tu retrouvé dans ce placard? Tu as suivi quelqu'un? Tu as entendu quelque chose?

– Je veux voir Mamie-Rose.

– Prends un verre d'eau.

– Non. Je veux voir Mamie-Rose.

---

2 **la galoche:** Schuh, (Holz-)Pantine.
   traîner: schlurfen.
8 **la mêlée:** Durcheinander.
11f. **engueuler qn:** jdn. anbrüllen.
12 **il se sent morveux:** ihm ist zum Heulen zumute, er ist den Tränen nahe (*morveux, se:* rotznäsig).

– Prends une bouchée de ...

– Non. Je veux voir Mamie-Rose.

Du granit. Une falaise. Une dalle de béton. Rien
à faire. Je n'écoutais même plus ce qu'on me disait.
5 Je voulais voir Mamie-Rose.

Le docteur Düsseldorf avait l'air très contrarié
par rapport à ses collègues de n'avoir aucune auto-
rité sur moi. Il a fini par craquer.

– Qu'on aille chercher cette dame!

10 Là, j'ai consenti à me reposer et j'ai dormi un
peu dans ma chambre.

Quand je me suis réveillé, Mamie-Rose était là.
Elle souriait.

– Bravo, Oscar, tu as réussi ton coup. Tu leur as
15 foutu une sacrée gifle. Mais le résultat, c'est qu'ils
me jalousent maintenant.

– On s'en fout.

– Ce sont de braves gens, Oscar. De très braves
gens.

---

1 **la bouchée:** Bissen, Happen.
3 **la falaise:** Felsen.
  la dalle: (Stein-)Platte, Fliese.
6 **avoir l'air contrarié:** ärgerlich, verstimmt aussehen.
8 **craquer** (fam.): schwach werden, nachgeben.
10 **consentir à** (+ inf.): einwilligen.
14 **tu as réussi ton coup:** du hast es geschafft.
15 **foutre une gifle à qn** (fam.): jdm. eine Ohrfeige verpassen.
16 **jalouser qn:** auf jdn. eifersüchtig sein.
17 **se foutre de qc** (pop.): auf etwas pfeifen; *il s'en fout:* es ist ihm
  scheißegal.

– Je m'en fous.

– Qu'est-ce qui ne va pas?

– Le docteur Düsseldorf a dit à mes parents que j'allais mourir et ils se sont enfuis. Je les déteste.

5   Je lui ai tout raconté dans le détail, comme à toi, Dieu.

– Mmm, a fait Mamie-Rose, ça me rappelle mon tournoi à Béthune contre Sarah Youp La Boum, la catcheuse au corps huilé, l'anguille des
10 rings, une acrobate qui se battait presque nue et qui te filait entre les mains lorsque tu essayais de lui faire une prise. Elle ne combattait qu'à Béthune où elle gagnait chaque année la coupe de Béthune. Or moi, je la voulais, la coupe de Bé-
15 thune!

– Qu'est-ce que vous avez fait, Mamie-Rose?

– Des amis à moi lui ont jeté de la farine lors-qu'elle est montée sur le ring. Huile plus farine, ça faisait une jolie chapelure. En trois croix et deux
20 mouvements, je l'ai envoyée au tapis, la Sarah

---

4 **s'enfuir:** fliehen.
8 **Béthune:** Stadt im Département Pas-de-Calais.
9 **huilé, e:** eingeölt.
   une anguille: Aal.
11 **filer** (fam.): (durch)schlüpfen.
12 **faire une prise:** einen Griff (beim Ringen) ansetzen.
19 **la chapelure:** Paniermehl, Panade.
   la croix: Kreuzgriff (beim Ringen).
20 **le mouvement:** hier: Ausheber.
   le tapis: Teppich; hier: Matte.

Youp La Boum. Après moi, on ne l'appelait plus l'anguille des rings mais la morue panée.

– Vous m'excuserez, Mamie-Rose, mais je vois pas vraiment le rapport.

– Moi je le vois très bien. Y a toujours une solution, Oscar, y a toujours un sac de farine quelque part. Tu devrais écrire à Dieu. Il est plus fort que moi.

– Même pour le catch?

– Oui. Même pour le catch, Dieu touche sa bille. Essaie, mon petit Oscar. Qu'est-ce qui te fait le plus mal?

– Je déteste mes parents.

– Alors déteste-les très fort.

– C'est vous qui me dites ça, Mamie-Rose?

– Oui. Déteste-les très fort. Ça te fera un os à ronger. Quand tu l'auras fini, ton os, tu verras que ce n'était pas la peine. Raconte tout ça à Dieu et, dans ta lettre, demande-lui donc de te faire une visite.

– Il se déplace?

– À sa façon. Pas souvent. Rarement même.

– Pourquoi? Il est malade, lui aussi?

---

2 **la morue:** Kabeljau, Dorsch; (pop.) Nutte.
  pané, e: paniert.
10f. **toucher sa bille** (fam.): sein Fach verstehen.
16 **un os:** Knochen.
17 **ronger qc:** an etwas nagen, knabbern.

Là, j'ai compris au soupir de Mamie-Rose qu'elle ne voulait pas m'avouer que, toi aussi, Dieu, tu es en mauvais état.

– Tes parents ne t'ont jamais parlé de Dieu, Os-
5 car?

– Laissez tomber. Mes parents, ils sont cons.

– Bien sûr. Mais est-ce qu'ils ne t'ont jamais parlé de Dieu?

– Si. Juste une fois. Pour dire qu'ils y croyaient
10 pas. Eux, ils croient juste au Père Noël.

– Ils sont si cons que ça, mon petit Oscar?

– Pouvez pas vous imaginer! Le jour où je suis revenu de l'école en leur disant qu'il fallait arrêter de déconner, que je savais, comme tous mes co-
15 pains, que le Père Noël n'existait pas, ils avaient l'air de tomber d'un nuage. Comme j'étais plutôt furax d'être passé pour un crétin dans la cour de récréation, ils m'ont juré qu'ils n'avaient jamais voulu me tromper et qu'ils avaient cru, eux, sincè-
20 rement, que le Père Noël existait, et qu'ils étaient très déçus, mais alors là, très déçus d'apprendre

---

1 **le soupir:** Seufzer.
2 **avouer:** eingestehen, zugeben.
6 **laisse tomber** (fam.): vergiss es!
con, conne (pop.): saublöd, doof; *être con, ne:* ein Arschloch sein.
17 **furax** (fam.): wütend, ‚sauer‘.
passer pour …: als … angesehen werden, gelten.
le crétin: Dummkopf, Idiot.

28

que ce n'était pas vrai! Deux vrais tarés, je vous dis, Mamie-Rose!

– Donc ils ne croient pas en Dieu?

– Non.

5 – Et ça ne t'a pas intrigué?

– Si je m'intéresse à ce que pensent les cons, je n'aurai plus de temps pour ce que pensent les gens intelligents.

– Tu as raison. Mais le fait que tes parents qui, selon toi, sont des cons …

– Oui. Des vrais cons, Mamie-Rose!

– Donc, si tes parents qui se trompent n'y croient pas, pourquoi toi, justement, ne pas y croire et lui demander une visite?

15 – D'accord. Mais vous m'avez pas dit qu'il est grabataire?

– Non. Il a une façon très spéciale de rendre visite. Il te rend visite en pensée. Dans ton esprit.

Ça, ça m'a plu. J'ai trouvé ça très fort. Mamie-Rose a ajouté:

– Tu verras: ses visites font beaucoup de bien.

– O.K., je lui en parlerai. Enfin, pour l'instant, les visites qui me font le plus de bien, ce sont les vôtres.

---

1 **taré, e** (fam.): bekloppt.
5 **intriguer qn:** jdn. stutzig machen.
10 **selon toi:** deiner Meinung nach.
16 **grabataire:** bettlägerig.

Mamie-Rose a souri et, presque timidement, s'est penchée pour me faire un bisou sur la joue. Elle n'osait pas aller jusqu'au bout. Elle mendiait de l'œil la permission.

5 – Allez-y. Embrassez-moi. Je le dirai pas aux autres. Je veux pas casser votre réputation d'ancienne catcheuse.

Ses lèvres se sont posées sur ma joue et ça m'a fait plaisir, ça me donnait chaud, avec des picote-
10 ments, ça sentait la poudre et le savon.

– Quand revenez-vous?

– Je n'ai le droit de venir que deux fois par semaine.

– C'est pas possible, ça, Mamie-Rose! Je vais
15 pas attendre trois jours!

– C'est le règlement.

– Qui fabrique le règlement?

– Le docteur Düsseldorf.

– Le docteur Düsseldorf, en ce moment, il fait
20 dans sa culotte quand il me voit. Allez lui demander la permission, Mamie-Rose. Je plaisante pas.

---

1 **timidement** (adv.): schüchtern.
2 **la joue:** Wange.
3 **mendier qc:** um etwas betteln.
6 **la réputation:** Ruf, Ansehen.
6 f. **ancien, ne:** ehemalig.
9 f. **le picotement:** Prickeln, Kribbeln.
16 **le règlement:** Vorschrift.
19 f. **faire dans sa culotte** (fam.): sich in die Hose machen.

Elle m'a regardé avec hésitation.

– Je plaisante pas. Si vous ne venez pas me voir tous les jours, moi j'écris pas à Dieu.

– Je vais essayer.

5 Mamie-Rose est sortie et je me suis mis à pleurer.

Je ne m'étais pas rendu compte, avant, combien j'avais besoin d'aide. Je ne m'étais pas rendu compte, avant, combien j'étais vraiment malade. À
10 l'idée de ne plus voir Mamie-Rose, je comprenais tout ça et voilà que ça me coulait en larmes qui brûlaient mes joues.

Heureusement, j'ai eu un peu le temps de me remettre avant qu'elle rentre.

15 – C'est arrangé: j'ai la permission. Pendant douze jours, je peux venir te voir tous les jours.

– Moi et rien que moi?

– Toi et rien que toi, Oscar. Douze jours.

Là, je ne sais pas ce qui m'a pris, les larmes sont
20 revenues et m'ont secoué. Pourtant je sais que les garçons ne doivent pas pleurer, surtout moi, avec mon crâne d'œuf, qui ne ressemble ni à un garçon ni à une fille mais plutôt à un Martien. Rien à faire. Je pouvais pas m'arrêter.

– Douze jours. Ça va si mal que ça, Mamie-Rose?

---

13 f. **se remettre:** sich erholen, sich beruhigen.
20 **secouer:** schütteln.
23 **le Martien / la Martienne:** Marsmensch.

Elle aussi, ça la chatouillait de pleurer. Elle hésitait. L'ancienne catcheuse empêchait l'ancienne fille de se laisser aller. C'était joli à voir et ça m'a distrait un peu.

5 – Quel jour sommes-nous, Oscar?

– Cette idée! Vous ne voyez pas mon calendrier? On est le 19 décembre.

– Dans mon pays, Oscar, il y a une légende qui prétend que, durant les douze derniers jours de
10 l'an, on peut deviner le temps qu'il fera dans les douze mois de l'année à venir. Il suffit d'observer chaque journée pour avoir, en miniature, le tableau du mois. Le 19 décembre représente le mois de janvier, le 20 décembre le mois de février, etc.,
15 jusqu'au 31 décembre qui préfigure le mois de décembre suivant.

– C'est vrai?

– C'est une légende. La légende des douze jours divinatoires. Je voudrais qu'on y joue, toi et moi.
20 Enfin surtout toi. À partir d'aujourd'hui, tu observeras chaque jour en te disant que ce jour compte pour dix ans.

– Dix ans?

---

1 **chatouiller:** kitzeln; jucken.
4 **distraire:** ablenken.
9 **prétendre:** behaupten.
15 **préfigurer qc:** etwas ahnen lassen, eine Vorstellung von etwas geben.
19 **divinatoire:** vorhersagend, Vorhersage…, Weissage…

– Oui. Un jour: dix ans.

– Alors dans douze jours, j'aurai cent trente ans!

– Oui. Tu te rends compte?

5 Mamie-Rose m'a embrassé – elle y prend goût, je sens – puis elle est partie.

Alors voilà, Dieu: ce matin, je suis né, et je ne m'en suis pas bien rendu compte; c'est devenu plus clair vers les midi, quand j'avais cinq ans, j'ai ga-10 gné en conscience mais ça n'a pas été pour apprendre de bonnes nouvelles; ce soir, j'ai dix ans et c'est l'âge de raison. J'en profite pour te demander une chose: quand tu as quelque chose à m'annoncer comme à midi, pour mes cinq ans, fais moins 15 brutal. Merci.

> À demain, bisous,
> Oscar.

P.-S. J'ai un truc à te demander. Je sais que je n'ai droit qu'à un vœu mais mon vœu de tout à l'heure, 20 c'était à peine un vœu, plutôt un conseil.

Je serais d'accord pour une petite visite. Une visite en esprit. Je trouve ça très fort. J'aimerais bien que tu m'en fasses une. Je suis ouvrable de huit

---

5 **prendre goût à qc:** an etwas Gefallen finden.
10 **la conscience:** Bewusstsein.
20 **le conseil:** Rat.
23 **être ouvrable:** geöffnet haben; hier: ansprechbar sein.

heures du matin à neuf heures du soir. Le reste du temps, je dors. Même parfois, dans la journée, je pique des petits roupillons à cause des traitements. Mais si tu me trouves comme ça, n'hésite pas à me réveiller. Ça serait con de se rater à une minute près, non?

---

3 **piquer un roupillon** (fam.): ein Nickerchen, Schläfchen machen.
  le traitement: (medizinische) Behandlung.
5 **se rater:** sich verpassen.

Cher Dieu,

Aujourd'hui, j'ai vécu mon adolescence et ça n'a pas glissé tout seul. Quelle histoire! J'ai eu plein d'ennuis avec mes copains, avec mes parents et
5 tout ça à cause des filles. Ce soir, je ne suis pas mécontent d'avoir vingt ans parce que je me dis que, ouf, le pire est derrière moi. La puberté, merci! Une fois mais pas deux!

D'abord, Dieu, je te signale que tu n'es pas
10 venu. J'ai très peu dormi aujourd'hui vu les problèmes de puberté que j'ai eus, donc je n'aurais pas dû te rater. Et puis, je te le répète, si je roupille, secoue-moi.

Au réveil, Mamie-Rose était déjà là. Pendant le
15 petit déjeuner, elle m'a raconté ses combats contre Téton Royal, une catcheuse belge, qui engloutissait trois kilos de viande crue par jour qu'elle arrosait avec un tonneau de bière; il paraît que ce

---

2 **une adolescence:** Jugend.
3f. **avoir des ennuis** (m.): Schwierigkeiten, Ärger haben.
12f. **roupiller:** ein Nickerchen machen, einnicken.
16 **Téton Royal** (fam.): Königstitte.
16f. **engloutir:** verschlingen.
17 **cru, e:** roh.
18 **le tonneau:** Fass.

qu'elle avait de plus fort, Téton Royal, c'était l'haleine, à cause de la fermentation viande-bière, et que rien que ça, ça envoyait ses adversaires au tapis. Pour la vaincre, Mamie-Rose avait dû improviser une nouvelle tactique: mettre une cagoule, l'imprégner de lavande et se faire appeler la Bourrelle de Carpentras. Le catch, elle dit toujours, ça demande aussi des muscles dans la cervelle.

– Qui aimes-tu bien, Oscar?

– Ici? À l'hôpital?

– Oui.

– Bacon, Einstein, Pop Corn.

– Et parmi les filles?

Ça m'a bloqué, cette question. Je n'avais pas envie de répondre. Mais Mamie-Rose attendait et, devant une catcheuse de classe internationale, on peut pas faire le guignol trop longtemps.

– Peggy Blue.

Peggy Blue, c'est l'enfant bleue. Elle habite l'avant-dernière chambre au fond du couloir. Elle

---

1f. **une haleine:** Atem, Mundgeruch.
2 **la fermentation:** Gärung.
5 **la cagoule:** Strumpfmaske.
6 **imprégner:** (durch)tränken.
  la lavande: Lavendel(parfüm).
6f. **la Bourelle de Carpentras:** die Henkerin von Carpentras (*la bourelle:* Wortneuschöpfung zu *le bourreau*; *Carpentras:* Stadt in der Provence).
17 **le guignol:** Kasper.
20 **au fond de:** am Ende von.

sourit gentiment mais elle ne parle presque pas. On
dirait une fée qui se repose un moment à l'hôpital.
Elle a une maladie compliquée, la maladie bleue,
un problème de sang qui devrait aller aux poumons
5 et qui n'y va pas et qui, du coup, rend toute la peau
bleutée. Elle attend une opération qui la rendra
rose. Moi je trouve que c'est dommage, je la trouve
très belle en bleu, Peggy Blue. Il y a plein de lumière et de silence autour d'elle, on a l'impression
10 de rentrer dans une chapelle quand on s'approche.
   – Est-ce que tu le lui as dit?
   – Je ne vais pas me planter devant elle pour lui
dire «Peggy Blue, je t'aime bien».
   – Si. Pourquoi ne le fais-tu pas?
15   – Je ne sais même pas si elle sait que j'existe.
   – Raison de plus.
   – Vous avez vu la tête que j'ai? Faudrait qu'elle
apprécie les extraterrestres, et ça, j'en suis pas sûr.
   – Moi je te trouve très beau, Oscar.
20   Là, elle a un peu freiné la conversation, Mamie-
Rose. C'est agréable d'entendre ce genre de chose,
ça fait frissonner les poils, mais on sait plus très
bien quoi répondre.

---

6 **bleuté, e:** bläulich.
10 **la chapelle:** Kapelle (Kirche).
18 **apprécier qn:** jdn. (wert)schätzen.
   un/une extraterrestre: Außerirdische(r).
22 **faire frisonner:** erschauern lassen.
   le poil: (Körper-)Haar.

– Je veux pas séduire qu'avec mon corps, Mamie-Rose.

– Qu'est-ce que tu ressens pour elle?

– J'ai envie de la protéger contre les fantômes.

5 – Quoi? Il y a des fantômes, ici!

– Oui. Toutes les nuits. Ils nous réveillent on ne
sait pas pourquoi. On a mal parce qu'ils pincent.
On a peur parce qu'on ne les voit pas. On a de la
difficulté à se rendormir.

10 – En as-tu souvent, toi, des fantômes?

– Non. Moi, le sommeil, c'est ce que j'ai de plus
profond. Mais Peggy Blue, je l'entends parfois
crier la nuit. J'aimerais bien la protéger.

– Va lui dire.

15 – De toute façon, je ne pourrais pas le faire
vraiment parce que, la nuit, on n'a pas le droit de
quitter sa chambre. C'est le règlement.

– Est-ce que les fantômes connaissent le règlement? Non. Sûrement pas. Sois rusé: s'ils t'enten-
20 dent annoncer à Peggy Blue que tu monteras la
garde pour la protéger d'eux, ils n'oseront pas venir ce soir.

– Mouais … mouais …

---

1 **séduire:** verführen.
3 **ressentir:** spüren, empfinden.
7 **pincer:** kneifen, zwicken.
19 **rusé, e:** schlau, gewitzt.
20f. **monter la garde:** Wache halten.
23 **mouais** (fam.): etwa: na jaaa (skeptisch und unschlüssig).

– Quel âge as-tu, Oscar?

– Je ne sais pas. Quelle heure est-il?

– Dix heures. Tu vas sur tes quinze ans. Ne crois-tu pas qu'il est temps d'avoir le courage de tes sentiments?

À dix heures trente, je me suis décidé et j'ai marché jusqu'à la porte de sa chambre qui était ouverte.

– Salut, Peggy, c'est Oscar.

Elle était posée sur son lit, on aurait dit Blanche-Neige lorsqu'elle attend le prince, quand ces couillons de nains croient qu'elle est morte, Blanche-Neige comme les photos de neige où la neige est bleue, non pas blanche.

Elle s'est tournée vers moi et là, je me suis demandé si elle allait me prendre pour le prince ou l'un des nains. Moi, j'aurais coché «nain» à cause de mon crâne d'œuf mais elle n'a rien dit, et c'est ça qu'est bien, avec Peggy Blue, c'est qu'elle ne dit jamais rien et que tout reste mystérieux.

– Je suis venu t'annoncer que, ce soir, et tous les soirs suivants, si tu veux bien, je monterai la garde devant ta chambre pour te protéger des fantômes.

Elle m'a regardé, elle a battu des cils et j'ai eu

---

11 **Blanche-Neige:** Schneewittchen.
12 **le couillon** (fam.): Dussel, Blödmann.
   le nain: Zwerg.
17 **cocher:** ankreuzen (in einem Fragebogen); hier: tippen auf.
24 **battre des cils:** zwinkern, blinzeln (*le cil:* Wimper).

l'impression que le film passait au ralenti, que l'air
devenait plus aérien, le silence plus silencieux, que
je marchais comme dans de l'eau et que tout changeait lorsqu'on s'approchait de son lit éclairé par
5 une lumière qui tombait de nulle part.

– Eh, minute, Crâne d'Œuf: c'est moi qui garde-
rai Peggy!

Pop Corn se tenait dans l'encadrement de la
porte, ou plutôt, il remplissait l'encadrement de la
10 porte. J'ai tremblé. Sûr que si c'est lui qui fait la
garde, ça sera efficace, aucun fantôme ne pourra
plus passer.

Pop Corn a fait un clin d'œil à Peggy.

– Hein, Peggy? Toi et moi, on est copains, non?

15 Peggy a regardé le plafond. Pop Corn a pris ça
pour une confirmation et m'a tiré dehors.

– Si tu veux une fille, tu prends Sandrine. Peggy,
c'est chasse gardée.

– De quel droit?

---

1 **passer au ralenti:** in Zeitlupe ablaufen (Film usw.).
2 **aérien, ne:** luftig, leicht.
4 **éclairer:** erhellen.
5 **nulle part:** nirgendwo.
8f. **se tenir dans l'encadrement de la porte:** im Türrahmen stehen.
9 **remplir:** ausfüllen.
11 **efficace:** wirksam, effektiv.
13 **faire un clin d'œil à qn:** jdm. zublinzeln.
16 **la confirmation:** Bestätigung.
18 **c'est chasse gardée:** das ist mein Jagdrevier.

– Du droit que j'étais là avant toi. Si t'es pas content, on peut se battre.

– En fait, je suis super-content.

J'étais un peu fatigué et je suis allé m'asseoir
5 dans la salle de jeux. Justement, il y avait Sandrine. Sandrine, elle est leucémique, comme moi, mais elle, son traitement a l'air de réussir. On l'appelle la Chinoise parce qu'elle a une perruque noire, brillante, aux cheveux raides, avec une frange, et
10 que ça la fait ressembler à une Chinoise. Elle me regarde et fait éclater une bulle de chewing-gum.

– Tu peux m'embrasser, si tu veux.

– Pourquoi? Le chewing-gum te suffit pas?

– T'es même pas capable, minus. Je suis sûre
15 que tu ne l'as jamais fait.

– Alors là, tu me fais rigoler. À quinze ans, je l'ai déjà fait plusieurs fois, je peux t'assurer.

– T'as quinze ans? qu'elle me fait, surprise.

Je vérifie à ma montre.

20 – Oui. Quinze ans passés.

– J'ai toujours rêvé d'être embrassée par un grand de quinze ans.

6 **le/la leucémique:** an Leukämie Erkrankte(r).
9 **raide:** glatt.
  la frange: Pony (Frisur).
11 **la bulle:** Blase.
  le chewing-gum (angl.): Kaugummi.
14 **le minus** (fam.): Versager, ‚Flasche‘, ‚Niete‘.
16 **tu me fais rigoler** (fam.): da muss ich aber lachen!

– C'est sûr, c'est tentant, que je dis.

Et là, elle me fait une grimace pas possible avec ses lèvres qu'elle pousse en avant, on dirait une ventouse qui s'écrase sur une vitre, et je comprends qu'elle attend un baiser.

En me retournant, je vois tous les copains qui m'observent. Pas moyen de me dégonfler. Faut être un homme. C'est l'heure.

Je m'approche et je l'embrasse. Elle m'accroche avec les bras, je ne peux plus m'en décoller, ça mouille, et tout d'un coup, sans prévenir elle me refile son chewing-gum. De surprise, je l'ai avalé tout rond. J'étais furieux.

C'est à ce moment-là qu'une main m'a tapé dans le dos. Un malheur n'arrive jamais seul: mes parents. On était dimanche et j'avais oublié!

– Tu nous présentes ton amie, Oscar?

– Ce n'est pas mon amie.

---

1 **tentant, e:** verführerisch, verlockend.
4 **la ventouse:** Saugnapf.
   s'écraser: hier: sich anpressen, festsaugen.
7 **se dégonfler** (fam.): einen Rückzieher machen (*dégonfler:* die Luft herauslassen).
9 **accrocher qn:** jdn. umklammern.
10 **se décoller:** hier: sich befreien, sich loslösen.
11 **mouiller:** nass werden.
12 **refiler qc à qn** (fam.): jdm. etwas unterjubeln; hier: jdm. etwas in den Mund schieben.
12f. **avaler qc tout rond:** etwas ganz, unzerkaut runterschlucken.
14f. **taper qn dans le dos:** jdm. auf den Rücken klopfen.

– Tu nous la présentes quand même?

– Sandrine. Mes parents. Sandrine.

– Je suis ravie de vous connaître, dit la Chinoise
en prenant des airs sucrés.

5 Je l'aurais étranglée.

– Veux-tu que Sandrine vienne avec nous dans
ta chambre?

– Non. Sandrine reste ici.

De retour dans mon lit, je me suis rendu compte
10 que j'étais fatigué et j'ai dormi un peu. De toute
façon, je voulais pas leur parler.

Quand je me suis réveillé, évidemment ils
m'avaient apporté des cadeaux. Depuis que je suis
en permanence à l'hôpital, mes parents ont du mal
15 avec la conversation; alors ils m'apportent des cadeaux et l'on passe des après-midi pourries à lire
les règles du jeu et les modes d'emploi. Mon père,
il est intrépide avec les notices: même quand elles
sont en turc ou en japonais, il ne se décourage pas,
20 il s'accroche au schéma. Il est champion du monde
du dimanche après-midi gâché.

---

4 **prendre des airs sucrés** (fig.): eine zuckersüße Miene machen.
13 f. **être en permanence à l'hôpital:** in stationärer Behandlung
sein.
16 **pourri, e:** hier (fam.): bescheuert, mies.
17 **le mode d'emploi:** Gebrauchsanweisung.
18 **intrépide:** unerbittlich.
la notice: hier: Hinweise.
21 **gâcher:** verpfuschen, verderben.

Aujourd'hui, il m'avait apporté un lecteur de disques. Là, j'ai pas pu critiquer même si j'en avais envie.

– Vous n'êtes pas venus, hier?

5 – Hier? Pourquoi veux-tu? Nous ne pouvons que le dimanche. Qu'est-ce qui te fait dire ça?

– Quelqu'un a vu votre voiture dans le parking.

– Il n'y a pas qu'une Jeep rouge au monde. C'est interchangeable, les voitures.

10 – Ouais. C'est pas comme les parents. Dommage.

Là, je les avais cloués sur place. Alors j'ai pris l'appareil à musique et j'ai écouté deux fois le disque *Casse-Noisette*, sans m'arrêter, devant eux.

15 Deux heures sans qu'ils puissent dire un mot. Bien fait pour eux.

– Ça te plaît?

– Ouais. J'ai sommeil.

Ils ont compris qu'ils devaient partir. Ils étaient

20 mal comme tout. Ils ne pouvaient pas se décider. Je sentais qu'ils voulaient me dire des choses et

---

1f. **le lecteur de disques:** CD-Player.

9 **interchangeable:** austauschbar, verwechselbar.

10 **ouais** (fam.): *oui.*

12 **clouer qn sur place** (fig.): jdn. festnageln, jdn. ‚kriegen'.

14 **le casse-noisette:** Nussknacker; gemeint ist hier die »Nussknacker-Suite« von Peter Iljitsch Tschaikowsky (1892/93).

15f. **bien fait pour eux:** geschieht ihnen recht.

20 **comme tout** (fam.): äußerst, höchst.

44

qu'ils n'y arrivaient pas. C'était bon de les voir souffrir, à leur tour.

Puis ma mère s'est précipitée contre moi, m'a serré très fort, trop fort, et a dit d'une voix secouée:

– Je t'aime, mon petit Oscar, je t'aime tellement.

J'avais envie de résister mais au dernier moment je l'ai laissée faire, ça me rappelait le temps d'avant, le temps des gros câlins tout simples, le
temps où elle n'avait pas un ton angoissé pour me dire qu'elle m'aimait.

Après ça, j'ai dû m'endormir un peu.

Mamie-Rose, c'est la championne du réveil. Elle arrive toujours sur la ligne d'arrivée au moment où
j'ouvre les yeux. Et elle a toujours un sourire à ce moment-là.

– Alors, tes parents?

– Nuls comme d'habitude. Enfin, ils m'ont offert *Casse-Noisette*.

– *Casse-Noisette*? Ça, c'est curieux. J'avais une copine qui s'appelait comme ça. Une sacrée championne. Elle brisait le cou de ses adversaires entre ses cuisses. Et Peggy Blue, tu es allé la voir?

---

3 **se précipiter contre qn:** sich auf jdn. stürzen.
4f. **d'une voix secouée:** mit bewegter Stimme.
9 **le câlin:** Liebkosung, Zärtlichkeit.
10 **angoissé, e:** ängstlich.
18 **être nul, le:** ein Versager, eine Null, ‚Niete' sein.
21 **sacré, e:** hier (fam.): verdammt, verflucht.

– M'en parlez pas. Elle est fiancée à Pop Corn.
– Elle te l'a dit?
– Non, lui.
– Du bluff!
5 – Je crois pas. Je suis sûr qu'il lui plaît plus que moi. Il est plus fort, plus rassurant.

– Du bluff, je te dis! Moi qui avais l'air d'une souris sur un ring, j'en ai battu des catcheuses qui ressemblaient à des baleines ou à des hippopo-
10 tames. Tiens, Plum Pudding, l'Irlandaise, cent cinquante kilos à jeun en slip avant sa Guinness, des avant-bras comme mes cuisses, des biceps comme des jambons, des jambes dont je ne pouvais pas faire le tour. Pas de taille, pas de prises. Imbattable!
15 – Comment avez-vous fait?

– Quand il n'y a pas de prise, c'est que c'est rond et que ça roule. Je l'ai fait courir, histoire de la fatiguer, puis je l'ai renversée, Plum Pudding. Il a fallu

---

1 **être fiancé, e à qn:** mit jdm. verlobt sein.
6 **rassurant, e:** beruhigend.
8 **la souris:** Maus.
9 **la baleine:** Wal(fisch).
9f. **un hippopotame:** Nilpferd.
11 **à jeun:** nüchtern (ohne etwas gegessen zu haben).
   la Guinness: irische Biersorte.
12 **un avant-bras:** Unterarm.
14 **faire le tour de qc:** hier: etwas mit den Armen umfassen.
   la prise: hier: Griff, Halt (wo man einen Griff ansetzen kann).
   imbattable: unschlagbar.
18 **renverser qn:** jdn. umstoßen, umwerfen.

un treuil pour la relever. Toi, mon petit Oscar, tu as
l'ossature légère et tu n'as pas beaucoup de bifteck,
c'est certain, mais la séduction, ça ne tient pas qu'à
l'os et qu'à la viande, ça tient aussi aux qualités de
5 cœur. Et ça, des qualités de cœur, tu en as plein.

– Moi?

– Va voir Peggy Blue et dis-lui ce que tu as sur
le cœur.

– Je suis un peu fatigué.

10 – Fatigué? Quel âge as-tu à cette heure? Dix-
huit ans? À dix-huit ans, on n'est pas fatigué.

Elle a une façon de parler, Mamie-Rose, qui
donne de l'énergie.

La nuit était tombée, les bruits résonnaient plus
15 fort dans la pénombre, le linoléum du couloir ré-
fléchissait la lune.

Je suis entré chez Peggy et lui ai tendu mon appareil à musique.

– Tiens. Écoute «La valse des flocons». C'est
20 tellement joli que ça me fait penser à toi.

---

1 **le treuil:** Lastwinde (Flaschenzug).
2 **une ossature:** Knochengerüst.
 avoir beaucoup de bifteck (fam.): viele Muskeln haben.
3 **la séduction:** Verführung.
4 **tenir à qc:** von etwas abhängen.
14 **résonner:** ertönen, (wider)hallen.
15f. **réfléchir:** (wider)spiegeln.
19 **la valse des flocons:** der Schneeflockenwalzer (aus der »Nussknacker-Suite«).

Peggy a écouté «La valse des flocons». Elle souriait comme si c'était une vieille copine, la valse, qui lui racontait des choses drôles à l'oreille.

Elle m'a rendu l'appareil et elle m'a dit:

5 – C'est beau.

C'était son premier mot. C'est chouette, non, comme premier mot?

– Peggy Blue, je voulais te dire: je veux pas que tu te fasses opérer. Tu es belle comme ça. Tu es
10 belle en bleu.

Ça, j'ai bien vu que ça lui faisait plaisir. Je l'avais pas dit pour, mais c'était clair que ça lui faisait plaisir.

– Je veux que ce soit toi, Oscar, qui me protèges
15 des fantômes.

– Compte sur moi, Peggy.

J'étais vachement fier. Finalement, c'est moi qui avais gagné!

– Embrasse-moi.

20 Ça, c'est vraiment un truc de filles, le baiser, comme un besoin chez elles. Mais Peggy, à la différence de la Chinoise, elle n'est pas une vicieuse, elle m'a tendu la joue et c'est vrai que ça m'a fait chaud, à moi aussi, de l'embrasser.

25 – Bonsoir, Peggy.

– Bonsoir, Oscar.

---

6 **chouette** (fam.): toll, Klasse.
22 **le vicieux / la vicieuse:** Lüstling, Wüstling.

Voilà, Dieu, c'était ma journée. Je comprends que l'adolescence, on appelle ça l'âge ingrat. C'est dur. Mais finalement, sur le coup des vingt ans, ça s'arrange. Alors je t'adresse ma demande du jour:
5 je voudrais que Peggy et moi on se marie. Je ne suis pas certain que le mariage appartienne aux choses de l'esprit, si c'est bien ta catégorie. Est-ce que tu fais ce genre de vœu, le vœu agence matrimoniale? Si tu n'as pas ça en rayon, dis-le-moi vite
10 que je puisse me tourner vers la bonne personne. Sans vouloir te presser, je te signale que je n'ai pas beaucoup de temps. Donc: mariage d'Oscar et Peggy Blue. Oui ou non. Vois si tu fais, ça m'arrangerait.

15   À demain, bisous,
                                         Oscar.

P.-S. Au fait, c'est quoi, finalement, ton adresse?

---

2 **l'âge ingrat:** Pubertät, Entwicklungsjahre (*ingrat, e:* undankbar; hier: schwierig).
3 **sur le coup de:** sofort bei.
8f. **une agence matrimoniale:** Heiratsvermittlung.
9 **avoir qc en rayon:** etwas auf Lager, vorrätig haben (*le rayon:* hier: Fach-, Regalbrett).
13 **vois si tu fais** (fam.): sieh zu, wie du's hinkriegst.
17 **au fait:** übrigens, eigentlich.

Cher Dieu,

Ça y est, je suis marié. Nous sommes le 21 décembre, je marche vers mes trente ans et je me suis marié. Pour les enfants, Peggy Blue et moi, on a
5 décidé qu'on verra ça plus tard. En fait, je crois qu'elle n'est pas prête.

Ça s'est passé cette nuit.

Vers une heure du matin, j'ai entendu la plainte de Peggy Blue. Ça m'a redressé dans mon lit. Les
10 fantômes! Peggy Blue était torturée par les fantômes alors que je lui avais promis de monter la garde. Elle allait se rendre compte que j'étais un tocard, elle ne m'adresserait plus la parole et elle aurait raison.

15 Je me suis levé et j'ai marché jusqu'aux hurlements. En arrivant à la chambre de Peggy, je l'ai vue assise dans son lit, qui me regardait venir, surprise. Moi aussi, je devais avoir l'air étonné, car soudain j'avais Peggy Blue en face de moi qui me

---

8 **la plainte:** Klage, Klagen.
9 **redresser:** aufrichten; hier: hochschrecken.
10 **torturer:** quälen, peinigen, martern.
12f. **le tocard:** schlechtes (Renn-)Pferd; hier (fam.): Flasche, Niete.
15f. **le hurlement:** Schrei(en), Geschrei.

50

fixait, la bouche fermée, et j'entendais pourtant toujours les cris.

Alors j'ai continué jusqu'à la porte suivante et j'ai compris que c'était Bacon qui se tordait dans 5 son lit à cause de ses brûlures. Un instant, ça m'a donné mauvaise conscience, j'ai repensé au jour où j'avais foutu le feu à la maison, au chat, au chien, quand j'avais même grillé les poissons rouges – enfin, je pense qu'ils ont dû surtout bouillir –, j'ai 10 songé à ce qu'ils avaient vécu et je me suis dit qu'après tout, ce n'était pas plus mal qu'ils y soient restés plutôt que de n'en avoir jamais fini avec les souvenirs et les brûlures, comme Bacon, malgré les greffes et les crèmes.

15 Bacon s'est recroquevillé et a cessé de gémir. Je suis retourné chez Peggy Blue.

– Alors ce n'était pas toi, Peggy? J'ai toujours cru que c'était toi qui criais la nuit.

– Et moi je croyais que c'était toi.

20 On n'en revenait pas de ce qui se passait, et de

---

1 **fixer qn:** jdn. starr ansehen.
4 **se tordre:** sich krümmen, sich herumwälzen.
5 **la brûlure:** Verbrennung.
10 **songer:** (nach)denken.
11 f. **y rester** (fam.): dabei umkommen, draufgehen.
15 **se recroqueviller:** sich (zusammen)krümmen.
  cesser de (+ inf.): aufhören.
  gémir: stöhnen.
20 **ne pas en revenir de qc** (fam.): etwas gar nicht fassen können.

51

ce qu'on se disait: en réalité, chacun pensait à l'autre depuis longtemps.

Peggy Blue est devenue encore plus bleue, ce qui signifiait chez elle qu'elle était très gênée.

5 – Qu'est-ce que tu fais, maintenant, Oscar?

– Et toi, Peggy?

C'est fou ce qu'on a comme points communs, les mêmes idées, les mêmes questions.

– Est-ce que tu veux dormir avec moi?

10 Les filles, c'est incroyable. Moi, une phrase comme ça, j'aurais mis des heures, des semaines, des mois à la mâcher dans ma tête avant de la prononcer. Elle, elle me la sortait tout naturellement, tout simplement.

15 – O.K.

Et je suis monté dans son lit. On était un peu serrés mais on a passé une nuit formidable. Peggy Blue sent la noisette et elle a la peau aussi douce que moi à l'intérieur des bras mais elle,
20 c'est partout. On a beaucoup dormi, beaucoup rêvé, on s'est tenus tout contre, on s'est raconté nos vies.

C'est sûr qu'au matin, quand Madame Gom-

---

4 **gêné, e:** verlegen.

10 **incroyable:** unglaublich.

12 **mâcher:** kauen; hier: hin und her wälzen.

13 **sortir:** hier (fam.): von sich geben.

19 **un intérieur:** hier: Innenseite.

21 **se tenir tout contre (l'autre):** sich aneinander kuscheln.

52

mette, l'infirmière-chef, nous a trouvés ensemble, ç'a été de l'opéra. Elle s'est mise à hurler, l'infirmière de nuit s'est mise à hurler aussi, elles ont hurlé l'une sur l'autre puis sur Peggy, puis sur moi,

5 les portes claquaient, elles prenaient les autres à témoin, elles nous traitaient de «petits malheureux» alors que nous étions très heureux et il a fallu que Mamie-Rose arrive pour mettre fin au concert.

– Est-ce que vous allez foutre la paix à ces en-

10 fants? Qui devez-vous satisfaire, les patients ou le règlement? J'en ai rien à cirer de votre règlement, je m'assois dessus. Maintenant, silence. Allez vous crêper le chignon ailleurs. On n'est pas dans un vestiaire, ici.

15 C'était sans réplique, comme toujours avec Mamie-Rose. Elle m'a ramené dans ma chambre et j'ai un peu dormi.

Au réveil, on a pu causer.

20
1 **une infirmière-chef:** Oberschwester.
5 f. **prendre qn à témoin:** jdn. zum Zeugen nehmen.
9 **foutre la paix à qn** (fam.): jdn. in Frieden lassen.
11 **je n'en ai rien à cirer de …** (fig.): ich schere mich nicht um …, mir ist … völlig schnuppe.
12 **je m'assois dessus** (fig.): ich pfeif drauf.
12 f. **se crêper le chignon** (fig.): sich in die Haare geraten (*le chignon:* Haarknoten).
14 **le vestiaire:** Garderobe.
15 **être sans réplique** (f.): keinen Widerspruch zulassen.
18 **causer:** sich unterhalten, plaudern; hier (fam.): reden, quatschen.

– Alors, c'est du sérieux, Oscar, avec Peggy?

– C'est du béton, Mamie-Rose. Je suis super-heureux. On s'est mariés cette nuit.

– Mariés?

5 – Oui. On a fait tout ce que font un homme et une femme qui sont mariés.

– Ah bon?

– Pour qui me prenez vous? J'ai – quelle heure est-il? – j'ai vingt ans passés, je mène ma vie
10 comme je l'entends, non?

– Sûr.

– Et puis figurez-vous que tous les trucs qui me dégoûtaient avant, quand j'étais jeune, les baisers, les caresses, eh bien, finalement, ça m'a plu. C'est
15 marrant comme on change, non?

– Je suis ravie pour toi, Oscar. Tu pousses bien.

– Il n'y a qu'un truc qu'on n'a pas fait, c'est le baiser en mélangeant les langues. Peggy Blue avait peur que ça lui donne des enfants. Qu'est-ce que
20 vous en pensez?

– Je pense qu'elle a raison.

– Ah bon? C'est possible d'avoir des enfants si on s'embrasse sur la bouche? Alors je vais en avoir avec la Chinoise.

---

10 **entendre:** hier: beabsichtigen, wollen.
14 **la caresse:** Zärtlichkeit, Streicheln.
15 **marrant, e** (fam.): komisch.
18 **mélanger:** vermischen, vermengen.

– Calme-toi, Oscar, il y a quand même peu de chances. Très peu.

Elle avait l'air sûre de son coup, Mamie-Rose, et ça m'a calmé un peu parce que, faut te dire, à toi, Dieu, et rien qu'à toi, qu'avec Peggy Blue, une fois, voire deux, voire plus, on avait mis la langue.

J'ai dormi un peu. On a déjeuné ensemble, Mamie-Rose et moi, et j'ai commencé à aller mieux.

– C'est fou comme j'étais fatigué, ce matin.

– C'est normal, entre vingt et vingt-cinq ans, on sort la nuit, on fait la fête, on mène une vie de patachon, on ne s'économise pas assez. Ça se paie. Si on allait voir Dieu?

– Ah, ça y est, vous avez son adresse?

– Je pense qu'il est à la chapelle.

Mamie-Rose m'a habillé comme si on partait pour le pôle Nord, elle m'a pris dans ses bras et m'a conduit à la chapelle qui se trouve au fond du parc de l'hôpital, au-delà des pelouses gelées, enfin, je vais pas t'expliquer où c'est, vu que c'est chez toi.

Ça m'a fait un choc quand j'ai vu ta statue, enfin, quand j'ai vu l'état dans lequel tu étais,

---

6 **voire:** ja sogar.

11 f. **mener une vie de patachon** (fam.): ein Lotterleben führen.

12 **s'économiser:** sich schonen.

    ça se paie (fig.): das muss man büßen.

19 **la pelouse:** Rasen.

presque tout nu, tout maigre sur ta croix, avec des blessures partout, le crâne qui saigne sous les épines et la tête qui ne tenait même plus sur le cou. Ça m'a fait penser à moi. Ça m'a révolté. Si j'étais Dieu, moi, comme toi, je ne me serais pas laissé faire.

– Mamie-Rose, soyez sérieuse: vous qui êtes catcheuse, vous qui avez été une grande championne, vous n'allez pas faire confiance à ça!

– Pourquoi, Oscar? Accorderais-tu plus de crédit à Dieu si tu voyais un culturiste avec le bifteck ouvragé, le muscle saillant, la peau huilée, la petite coupe courte et le mini-slip avantageux?

– Ben …

– Réfléchis, Oscar. De quoi te sens-tu le plus proche? D'un Dieu qui n'éprouve rien ou d'un Dieu qui souffre?

---

3 **les épines** pl.: hier: Dornenkrone (*une épine:* Dorne, Stachel).
4 **révolter qn:** jdn. in Empörung versetzen, jdn. aufbringen.
10 **accorder qc à qn:** jdm. etwas zugestehen, beimessen.
10f. **le crédit:** hier: Ansehen.
11 **le/la culturiste:** Bodybuilder(in).
   le bifteck: hier (fam.): Körper.
12 **ouvragé, e:** fein gearbeitet, wohlgeformt; hier etwa: durchgestylt.
   saillant, e: hervorstehend, prall.
13 **la coupe:** Haarschnitt.
   avantageux, se: vorteilhaft, schmeichelhaft.
14 **ben** (fam.): *eh bien.*
17 **souffrir:** leiden.

– De celui qui souffre, évidemment. Mais si j'étais lui, si j'étais Dieu, si, comme lui, j'avais les moyens, j'aurais évité de souffrir.

– Personne ne peut éviter de souffrir. Ni Dieu ni toi. Ni tes parents ni moi.

– Bon. D'accord. Mais pourquoi souffrir?

– Justement. Il y a souffrance et souffrance. Regarde mieux son visage. Observe. Est-ce qu'il a l'air de souffrir?

– Non. C'est curieux. Il n'a pas l'air d'avoir mal.

– Voilà. Il faut distinguer deux peines, mon petit Oscar, la souffrance physique et la souffrance morale. La souffrance physique, on la subit. La souffrance morale, on la choisit.

– Je ne comprends pas.

– Si on t'enfonce des clous dans les poignets ou les pieds, tu ne peux pas faire autrement que d'avoir mal. Tu subis. En revanche, à l'idée de mourir, tu n'es pas obligé d'avoir mal. Tu ne sais pas ce que c'est. Ça dépend donc de toi.

– Vous en connaissez, vous, des gens qui se réjouissent à l'idée de mourir?

---

7 **la souffrance:** Leiden.
11 **la peine:** hier: Art des Leidens.
13 **subir qc:** etwas erleiden, erdulden.
16 **enfoncer:** einschlagen.
   le poignet: Handgelenk.
18 **en revanche:** dagegen, hingegen.
21 f. **se réjouir:** sich freuen, Freude empfinden.

– Oui, j'en connais. Ma mère était comme ça. Sur son lit de mort, elle souriait de gourmandise, elle était impatiente, elle avait hâte de découvrir ce qui allait se passer.

5 Je pouvais plus argumenter. Comme ça m'intéressait de savoir la suite, j'ai laissé passer un peu de temps en réfléchissant à ce qu'elle me disait.

– Mais la plupart des gens sont sans curiosité. Ils s'accrochent à ce qu'ils ont, comme le pou dans
10 l'oreille d'un chauve. Prends Plum Pudding, par exemple, ma rivale irlandaise, cent cinquante kilos à jeun et en slip juste avant sa Guinness. Elle me disait toujours: «Moi, désolée, je ne mourrai pas, je ne suis pas d'accord, je n'ai pas signé.» Elle se
15 trompait. Personne ne lui avait dit que la vie devait être éternelle, personne! Elle s'entêtait à le croire, elle se révoltait, elle refusait l'idée de passer, elle devenait enragée, elle a fait une dépres-

---

2 **la gourmandise:** Begierde, Lust.

3 **impatient, e:** ungeduldig.
  avoir hâte de (+ inf.): etwas kaum erwarten können, ungeduldig auf etwas warten (*la hâte:* Eile).

6 **la suite:** Fortsetzung.

9 **le pou:** (Kopf-)Laus.

10 **le chauve:** Glatzkopf.

13 **désolé, e:** es tut mir leid.

16 **éternel, le:** ewig.
  s'entêter à (+inf.): sich auf etwas versteifen.

17f. **passer:** hier: sterben.

18 **enragé, e:** wütend.

18f. **faire une dépression:** depressiv werden.

sion, elle a maigri, elle a arrêté le métier, elle ne pesait plus que trente-cinq kilos, on aurait dit une arête de sole, et elle s'est cassée en morceaux. Tu vois, elle est morte quand même, comme tout le monde, mais l'idée de mourir lui a gâché la vie.

– Elle était conne, Plum Pudding, Mamie-Rose.

– Comme un pâté de campagne. Mais c'est très répandu, le pâté de campagne. Très courant.

Là aussi, j'ai opiné de la tête parce que j'étais assez d'accord.

– Les gens craignent de mourir parce qu'ils redoutent l'inconnu. Mais justement, qu'est-ce que l'inconnu? Je te propose, Oscar, de ne pas avoir peur mais d'avoir confiance. Regarde le visage de Dieu sur la croix: il subit la peine physique mais il n'éprouve pas de peine morale car il a confiance. Du coup les clous le font moins souffrir. Il se répète: ça me fait mal mais ça ne peut pas être un mal. Voilà! C'est ça, le bénéfice de la foi. Je voulais te le montrer.

---

1 **maigrir:** abnehmen.
3 **une arête:** Gräte.
 la sole: Seezunge.
 se casser en morceaux: (in Stücke) zerbrechen.
7 **le pâté de campagne:** etwa: Leberwurst.
8 **répandu, e:** verbreitet.
 courant, e: gängig, üblich.
9 **opiner de la tête:** durch Kopfnicken zustimmen.
11 f. **redouter qc:** vor etwas Angst haben, etwas fürchten.
19 **le bénéfice:** Gewinn, Nutzen.

– O.K., Mamie-Rose, quand j'aurai la trouille, je me forcerai à avoir confiance.

Elle m'a embrassé. Finalement, on était bien dans cette église déserte avec toi, Dieu, qui avais l'air si apaisé.

Au retour, j'ai dormi longtemps. J'ai de plus en plus sommeil. Comme une fringale. En me réveillant, j'ai dit à Mamie-Rose :

– En fait, je n'ai pas peur de l'inconnu. C'est juste que ça m'ennuie de perdre ce que je connais.

– Je suis comme toi, Oscar. Si on proposait à Peggy Blue de venir prendre le thé avec nous?

Peggy Blue a pris le thé avec nous, elle s'entendait très bien avec Mamie-Rose, on a bien rigolé quand Mamie-Rose nous a raconté son combat avec les Sœurs Giclette, trois sœurs jumelles qui se faisaient passer pour une. Après chaque round, la Giclette qui avait épuisé son adversaire en gambadant de partout bondissait hors du ring en prétendant qu'elle devait aller faire pipi, elle se précipi-

1 **avoir la trouille** (fam.): Schiss haben.
4 **désert, e:** leer, verlassen.
5 **apaisé, e:** friedlich.
7 **comme une fringale** (fam.): als ob ich Heißhunger darauf hätte.
14 **on a bien rigolé** (fam.): wir haben uns gut amüsiert, es war sehr lustig.
16 **le jumeau / la jumelle:** Zwilling; Zwillingsbruder, -schwester.
18f. **gambader:** hüpfen, Sprünge machen.
19 **bondir:** springen.

tait aux toilettes et c'était sa sœur qui revenait en
pleine forme pour la reprise. Et ainsi de suite. Tout
le monde croyait qu'il n'y avait qu'une Giclette,
que c'était une sauteuse infatigable. Mamie-Rose a
5 découvert le pot aux roses, a enfermé les deux
remplaçantes aux toilettes en jetant la clé par la fenêtre et elle est venue à bout de celle qui restait.
C'est astucieux, le catch, comme sport.

Puis Mamie-Rose est partie. Les infirmières
10 nous surveillent, Peggy Blue et moi, comme si on
était des pétards prêts à exploser. Merde, j'ai
trente ans, tout de même! Peggy Blue m'a juré
que, ce soir, c'est elle qui me rejoindrait dès
qu'elle pourrait; en échange, je lui ai juré que,
15 cette fois, je ne mettrais pas la langue.

C'est vrai, c'est pas tout d'avoir des gosses, faut
encore avoir le temps de les élever.

---

2 **la reprise:** Wiederaufnahme, Fortsetzung.
4 **le sauteur / la sauteuse:** Springer(in).
  infatigable: unermüdlich, unverwüstlich.
5 **découvrir le pot aux roses** (fig.): jdm. auf die Schliche kommen.
6 **le remplaçant / la remplaçante:** Vertreter(in), Auswechselspie-
  ler(in); hier: Ersatzschwester.
7 **venir à bout de qn:** mit jdm. fertig werden.
8 **astucieux, se:** raffiniert.
11 **le pétard:** Knallfrosch.
12 **tout de même:** trotzdem, doch.
13 **rejoindre qn:** zu jdm. gehen, kommen.
16 **le gosse** (fam.): Kind.

Voilà, Dieu. Je ne sais pas quoi te demander ce soir parce que ça a été une belle journée. Si. Fais en sorte que l'opération de Peggy Blue, demain, se passe bien. Pas comme la mienne, si tu vois ce que je veux dire.

À demain, bisous,
Oscar.

P.-S. Les opérations, ce ne sont pas des choses de l'esprit, tu n'as peut-être pas ça en magasin. Alors fais en sorte que, quel que soit le résultat de l'opération, Peggy Blue le prenne bien. Je compte sur toi.

---

9 **avoir qc en magasin:** etwas vorrätig, auf Lager haben.

Cher Dieu,

Peggy Blue a été opérée aujourd'hui. J'ai passé dix
années terribles. C'est dure la trentaine, c'est l'âge
des soucis et des responsabilités.

5   En fait, Peggy n'a pas pu me rejoindre cette nuit
parce que Madame Ducru, l'infirmière de nuit, est
restée dans sa chambre pour préparer Peggy à
l'anesthésie. La civière l'a emmenée vers huit heures. Ça m'a serré le cœur quand j'ai vu passer Peg-
10 gy sur le chariot, on la voyait à peine sous les
draps émeraude tant elle est petite et mince.
    Mamie-Rose m'a tenu la main pour m'empêcher
de m'énerver.
    – Pourquoi ton Dieu, Mamie-Rose, il permet
15 que ça soit possible, des gens comme Peggy et moi?
    – Heureusement qu'il vous fait, mon petit Os-
car, parce que la vie serait moins belle sans vous.
    – Non. Vous ne comprenez pas. Pourquoi Dieu
il permet qu'on soit malades? Ou bien il est mé-
20 chant. Ou bien il n'est pas bien fortiche.

---

8 **la civière:** Trage.
10 **le chariot:** Rollwagen (im Krankenhaus).
11 **émeraude:** smaragdgrün.
20 **fortiche** (fam.): stark, tüchtig.

– Oscar, la maladie, c'est comme la mort. C'est un fait. Ce n'est pas une punition.

– On voit que vous n'êtes pas malade!

– Qu'est-ce que tu en sais, Oscar?

5 Ça, ça m'a coupé. J'avais jamais songé que Mamie-Rose, qui est toujours si disponible, si attentive, elle puisse avoir ses propres problèmes.

– Faut pas me cacher les choses, Mamie-Rose, vous pouvez tout me dire. J'ai au moins trente-10 deux ans, un cancer, une femme en salle d'opération, alors, la vie, ça me connaît.

– Je t'aime, Oscar.

– Moi aussi. Qu'est-ce que je peux faire pour vous si vous avez des ennuis? Est-ce que vous vou-15 lez que je vous adopte?

– M'adopter?

– Oui, j'ai déjà adopté Bernard quand j'ai vu qu'il avait le blues.

– Bernard?

20 – Mon ours. Là. Dans l'armoire. Sur l'étagère. C'est mon vieil ours, il n'a plus d'yeux, ni de bouche, ni de nez, il a perdu la moitié de son rembourrage et il a des cicatrices partout. Il vous ressemble

---

5 **ça m'a coupé** (fam.): da blieb mir die Spucke weg.

6f. **attentif, ve:** aufmerksam.

18 **avoir le blues** (angl.): deprimiert sein.

20 **un ours:** (Teddy-)Bär.

22f. **le rembourrage:** Füllung.

23 **la cicatrice:** Narbe.

un peu. Je l'ai adopté le soir où mes deux cons de parents m'ont apporté un ours neuf. Comme si j'allais accepter d'avoir un ours neuf! Ils n'avaient qu'à me remplacer par un petit frère tout neuf pendant qu'ils y étaient! Depuis, je l'ai adopté. Je lui léguerai tout ce que j'ai, à Bernard. Je veux vous adopter aussi, si ça vous rassure.

– Oui. Je veux bien. Je crois que ça me rassurerait, Oscar.

– Alors topez là, Mamie-Rose.

Puis on est allés préparer la chambre de Peggy, apporter les chocolats, poser des fleurs pour son retour.

Après, j'ai dormi. C'est fou ce que je dors en ce moment.

Vers la fin de l'après-midi, Mamie-Rose m'a réveillé en me disant que Peggy Blue était revenue et que l'opération avait réussi.

On est allés la voir ensemble. Ses parents se tenaient à son chevet. J'ignore qui les avait prévenus, Peggy ou Mamie-Rose, mais ils avaient l'air de savoir qui j'étais, ils m'ont traité avec beaucoup de respect, ils m'ont posé une chaise entre

---

5 **pendant qu'ils y étaient:** wenn sie schon gerade dabei waren.
6 **léguer qc à qn:** jdm. etwas vermachen.
10 **topez là:** schlagen Sie ein, Ihre Hand drauf.
19f. **se tenir au chevet de qn:** an jds. Bett wachen (*le chevet:* Kopfende [des Bettes]).

eux et j'ai pu veiller ma femme avec mes beaux-parents.

J'étais content parce que Peggy était toujours bleutée. Le docteur Düsseldorf est passé, s'est frotté les sourcils et a dit que ça allait changer dans les heures qui viennent. J'ai regardé la mère de Peggy qui n'est pas bleue mais bien belle quand même et je me suis dit qu'après tout, Peggy, ma femme, pouvait avoir la couleur qu'elle voulait, je l'aimerais pareil.

Peggy a ouvert les yeux, nous a souri, à moi, à ses parents, puis s'est rendormie.

Ses parents étaient rassurés mais ils devaient partir.

– Nous te confions notre fille, ils m'ont dit. Nous savons que nous pouvons compter sur toi.

Avec Mamie-Rose, j'ai tenu jusqu'à ce que Peggy ouvre les yeux une deuxième fois puis je suis allé me reposer dans ma chambre.

En finissant ma lettre, je me rends compte que c'était une bonne journée, aujourd'hui, finalement. Une journée famille. J'ai adopté Mamie-Rose, j'ai bien sympathisé avec mes beaux-parents et j'ai ré-

---

1 **veiller qn:** bei jdm. (einem Kranken) Wache halten.
1f. **les beaux-parents:** Schwiegereltern.
10 **pareil** (adv., fam.): gleichermaßen, ebenso.
15 **confier qn à qn:** jdn. jdm. anvertrauen.
23f. **récupérer:** wiederbekommen, zurückbekommen.

cupéré ma femme en bonne santé, même si, vers onze heures, elle devenait rose.

À demain, bisous,
Oscar.

5 P.-S. Pas de vœu aujourd'hui. Ça te fera du repos.

Cher Dieu,

Aujourd'hui, j'ai eu de quarante à cinquante ans et je n'ai fait que des conneries.

Je raconte ça vite parce que ça mérite pas plus.
5 Peggy Blue va bien mais la Chinoise, envoyée par Pop Corn qui ne peut plus me blairer, est venue lui cafter que je l'avais embrassée sur la bouche.

Du coup, Peggy m'a dit qu'elle et moi c'était fini. J'ai protesté, j'ai dit que la Chinoise et moi,
10 c'était une erreur de jeunesse, que c'était bien avant elle, et qu'elle ne pouvait pas me faire payer mon passé toute ma vie.

Mais elle a tenu bon. Elle est même devenue copine avec la Chinoise pour me faire enrager et je
15 les ai entendues qui rigolaient ensemble.

Du coup, quand Brigitte, la trisomique, qui colle

---

3 **faire des conneries** (pop.): Mist bauen (*la connerie*, pop.: Blödsinn, Quatsch).
4 **mériter:** verdienen, wert sein.
6 **ne pas pouvoir blairer qn** (fam.): jdn. nicht riechen, nicht ausstehen können.
7 **cafter** (fam.): petzen.
10 **une erreur de jeunesse:** Jugendsünde.
13 **tenir bon:** standhalten, hart bleiben.
16 **le/la trisomique:** mongoloides Kind.
   coller qn (fam.): hier: sich an jdn. ranmachen.

toujours tout le monde parce que les trisomiques, c'est normal, c'est affectueux, est venue me dire bonjour dans ma chambre, je l'ai laissée m'embrasser de partout. Elle était folle de joie que je lui permette. On aurait dit un chien qui fait la fête à son maître. Le problème, c'est qu'Einstein était dans le couloir. Il a peut-être de l'eau dans le cerveau mais pas des peaux de saucisson sur les yeux. Il a tout vu et est allé le raconter à Peggy et à la Chinoise. Tout l'étage me traite maintenant de cavaleur alors que j'ai pas bougé de ma chambre.

– Je ne sais pas ce qui m'a pris, Mamie-Rose, avec Brigitte …

– Le démon de midi, Oscar. Les hommes sont comme ça, entre quarante-cinq et cinquante ans, ils se rassurent, ils vérifient qu'ils peuvent plaire à d'autres femmes que celle qu'ils aiment.

– Bon d'accord, je suis normal mais je suis con, aussi, non?

– Oui. Tu es tout à fait normal.

– Qu'est-ce que je dois faire?

2 **affectueux, se:** liebevoll, anhänglich.
5f. **faire la fête à qn** (fig.): jdn. freudig begrüßen.
8 **le cerveau:** Gehirn.
   le saucisson: Wurst.
11 **le cavaleur:** Schürzenjäger.
15 **le démon de midi:** Midlife-crisis.
17 **se rassurer:** sich vergewissern.

– Qui aimes-tu?

– Peggy. Rien que Peggy.

– Alors dis-le-lui. Un premier couple, c'est fragile, toujours secoué, mais il faut se battre pour le
5 conserver, si c'est le bon.

Demain, Dieu, c'est Noël. J'avais jamais réalisé
que c'était ton anniversaire. Fais en sorte que je
me réconcilie avec Peggy parce que je ne sais pas
si c'est pour ça, mais je suis très triste ce soir et je
10 n'ai plus de courage du tout.

À demain, bisous,
Oscar.

P.-S. Maintenant qu'on est copains, qu'est-ce que
tu veux que je t'offre pour ton anniversaire?

---

3 **un premier couple:** hier: ein junges Paar.
4 **se battre:** hier: kämpfen.
8 **se réconcilier avec qn:** sich wieder mit jdm. vertragen, sich aus-
söhnen.

Cher Dieu,

Ce matin, à huit heures, j'ai dit à Peggy Blue que
je l'aimais, que je n'aimais qu'elle et que je pouvais
pas concevoir ma vie sans elle. Elle s'est mise à
5 pleurer, elle m'a avoué que je la délivrais d'un gros
chagrin parce qu'elle aussi elle n'aimait que moi et
qu'elle ne trouverait jamais personne d'autre, surtout maintenant qu'elle était rose.

Alors, c'est curieux, on s'est retrouvés tous les
10 deux à sangloter mais c'était très agréable. C'est
chouette, la vie de couple. Surtout après la cin-
quantaine quand on a traversé des épreuves.

Sur le coup des dix heures, je me suis vraiment
rendu compte que c'était Noël, que je ne pourrais
15 pas rester avec Peggy parce que sa famille – frères,
oncles, neveux, cousins – allait débarquer dans sa
chambre et que j'allais être obligé de supporter
mes parents. Qu'est-ce qu'ils allaient m'offrir encore? Un puzzle de dix-huit mille pièces? Des li-

---

4 **concevoir qc:** sich etwas vorstellen.

5 **délivrer qn de qc:** jdn. von etwas befreien, erlösen.

6 **le chagrin:** Kummer.

12 **une épreuve:** Prüfung; hier: Krise.

16 **débarquer:** (an)landen; hier (fig.): aufkreuzen, hereinschneien.

17 **supporter:** ertragen.

vres en kurde? Une boîte de modes d'emploi?
Mon portrait du temps que j'étais en bonne santé?
Avec deux crétins pareils, qui ont l'intelligence
d'un sac-poubelle, il y avait de la menace à l'hori-
5 zon, je pouvais tout craindre, il n'y avait qu'une
seule certitude, c'était que j'allais passer une journée à la con.

Je me suis décidé très vite et j'ai organisé ma
fugue. Un peu de troc: mes jouets à Einstein, mon
10 duvet à Bacon et mes bonbons à Pop Corn. Un
peu d'observation: Mamie-Rose passait toujours
par le vestiaire avant de partir. Un peu de prévision: mes parents n'arriveraient pas avant midi.
Tout s'est bien passé: à onze heures trente, Ma-
15 mie-Rose m'a embrassé en me souhaitant une
bonne journée de Noël avec mes parents puis a
disparu à l'étage des vestiaires. J'ai sifflé. Pop
Corn, Einstein et Bacon m'ont habillé très vite,
m'ont descendu en me soulevant et m'ont porté
jusqu'à la caisse de Mamie-Rose, une voiture qui

---

3 **le crétin:** Dummkopf, Idiot.
4 **le sac-poubelle:** Müllbeutel.
4f. **il y a de la menace à l'horizon:** es ist Gefahr im Verzug.
6 **la certitude:** Gewissheit.
7 **à la con** (pop.): saublöd, beschissen.
9 **la fugue:** Flucht.
   le troc: Tauschgeschäft.
10 **le duvet:** Daunendecke.
12f. **la prévision:** Voraussicht.
20 **la caisse:** hier (fam.): ‚Kiste', altes Auto.

doit dater d'avant l'automobile. Pop Corn, qui est très doué pour ouvrir les serrures parce qu'il a eu la chance d'être élevé dans une cité défavorisée, a crocheté la porte de derrière et ils m'ont jeté sur le sol entre la banquette de devant et la banquette de derrière. Puis ils sont retournés, ni vu ni connu, au bâtiment.

Mamie-Rose, au bout d'un bon bout de temps, est montée dans sa voiture, elle l'a fait crachoter dix à quinze fois avant de la faire démarrer puis on est partis à un train d'enfer. C'est génial, ce genre de voiture d'avant l'automobile, ça fait tellement de boucan qu'on a l'impression d'aller très vite et ça secoue autant qu'à la fête foraine.

Le problème, c'est que Mamie-Rose, elle avait dû apprendre à conduire avec un ami cascadeur: elle ne respectait ni les feux ni les trottoirs ni

---

1 **d'avant l'automobile:** aus der Zeit vor der Erfindung des Autos.
2 **doué, e:** begabt.
  la serrure: Schloss.
3 **la cité:** hier: Vorortsiedlung, Hochhaussiedlung.
  défavorisé, e: (sozial) benachteiligt.
4 **crocheter:** mit einem Dietrich aufbrechen.
6 **ni vu ni connu:** unbemerkt.
9 **crachoter:** stottern (Auto).
10 **démarrer:** starten.
11 **à un train d'enfer** (fig.): im Höllentempo.
13 **le boucan** (fam.): Krach, Lärm.
14 **la fête foraine:** Jahrmarkt.
16 **le cascadeur:** Stuntman.
17 **le feu:** hier: Ampel.

les ronds-points si bien que, de temps en temps, la voiture décollait. Ça a pas mal chahuté dans la carlingue, elle a beaucoup klaxonné, et, question vocabulaire aussi, c'était enrichissant: elle balan-
5 çait toutes sortes de mots terribles pour insulter les ennemis qui se mettaient en travers de son chemin et je me suis dit encore une fois que, décidément, le catch, c'était une bonne école pour la vie.

10 J'avais prévu, à l'arrivée, de bondir et de faire: «Coucou, Mamie-Rose» mais ça a duré tellement longtemps, la course d'obstacles pour arriver chez elle, que j'ai dû m'endormir.

Toujours est-il qu'à mon réveil, il faisait noir, il
15 faisait froid, silence, et je me retrouvais seul couché sur un tapis humide. C'est là que j'ai pensé, pour la première fois, que j'avais peut-être fait une bêtise.

1 **le rond-point:** Kreisverkehr.
2 **décoller:** (vom Boden) abheben.
  chahuter: Radau machen.
2f. **la carlingue** (fam.): Kiste.
3 **klaxonner:** hupen.
4 **enrichir:** bereichern.
4f. **balancer:** hier (fam.): ausstoßen, aussprechen.
5 **insulter:** beleidigen.
7f. **décidément** (adv.): wirklich, wahrhaftig.
11 **le coucou:** Kuckuck.
12 **la course d'obstacle:** Hindernisrennen.
14 **toujours est-il que:** jedenfalls.

Je suis sorti de la voiture et il s'est mis à neiger. Pourtant c'était beaucoup moins agréable que «La valse des flocons» dans *Casse-Noisette*. J'avais les dents qui sautaient toutes seules.

5 J'ai vu une grande maison allumée. J'ai marché. J'avais du mal. J'ai dû faire un tel saut pour atteindre la sonnette que je me suis effondré sur le paillasson.

C'est là que Mamie-Rose m'a trouvé.

– Mais … mais …, qu'elle a commencé à dire.

10 Puis elle s'est penchée vers moi et a murmuré:

– Mon chéri.

Alors, j'ai pensé que j'avais peut-être pas fait une bêtise.

Elle m'a porté dans son salon, où elle avait dres-
15 sé un grand arbre de Noël qui clignait des yeux. J'étais étonné de voir comme c'était beau, chez Mamie-Rose. Elle m'a réchauffé auprès du feu et on a bu un grand chocolat. Je me doutais qu'elle voulait d'abord s'assurer que j'allais bien avant de
20 m'engueuler. Moi, du coup, je prenais tout mon temps pour me remettre, j'avais pas de mal à y arriver d'ailleurs parce que, en ce moment, je suis vraiment fatigué.

– Tout le monde te cherche à l'hôpital, Oscar.

---

4 **sauter:** hier: (mit den Zähnen) klappern.
7 **s'effondrer:** zusammenbrechen, zusammenklappen.
  le paillasson: Fußmatte.
15 **cligner des yeux:** blinzeln.
18 **le chocolat:** hier: heiße Schokolade.

C'est le branle-bas de combat. Tes parents sont désespérés. Ils ont prévenu la police.

– Ça m'étonne pas d'eux. S'ils sont assez bêtes pour croire que je vais les aimer quand j'aurai les menottes ...

– Qu'est-ce que tu leur reproches?

– Ils ont peur de moi. Ils n'osent pas me parler. Et moins ils osent, plus j'ai l'impression d'être un monstre. Pourquoi est-ce que je les terrorise? Je suis si moche que ça? Je pue? Je suis devenu idiot sans m'en rendre compte?

– Ils n'ont pas peur de toi, Oscar. Ils ont peur de la maladie.

– Ma maladie, ça fait partie de moi. Ils n'ont pas à se comporter différemment parce que je suis malade. Ou alors ils ne peuvent aimer qu'un Oscar en bonne santé?

– Ils t'aiment, Oscar. Ils me l'ont dit.

– Vous leur parlez?

– Oui. Ils sont très jaloux que nous nous entendions si bien. Non, pas jaloux, tristes. Tristes de ne pas y parvenir aussi.

---

1 **le branle-bas de combat:** Klarmachen zum Gefecht; hier (fig.): Durcheinander, Aufregung.
5 **la menotte:** Handschelle.
9 **terroriser qn:** jdn. in Angst und Schrecken versetzen.
10 **moche** (fam.): hässlich, scheußlich.
20 **jaloux, se:** eifersüchtig.
22 **parvenir à faire qc:** etwas schaffen, erreichen.

J'ai haussé les épaules mais j'étais déjà un peu moins en colère. Mamie-Rose m'a fait un deuxième chocolat chaud.

– Tu sais, Oscar. Tu vas mourir, un jour. Mais tes parents, ils vont mourir aussi.

J'étais étonné par ce qu'elle me disait. Je n'y avais jamais pensé.

– Oui. Ils vont mourir aussi. Tout seuls. Et avec le remords terrible de n'avoir pas pu se réconcilier avec leur seul enfant, un Oscar qu'ils adoraient.

– Dites pas des choses comme ça, Mamie-Rose, ça me fout le cafard.

– Pense à eux, Oscar. Tu as compris que tu allais mourir parce que tu es un garçon très intelligent. Mais tu n'as pas compris qu'il n'y a pas que toi qui meurs. Tout le monde meurt. Tes parents, un jour. Moi, un jour.

– Oui. Mais enfin tout de même, je passe devant.

– C'est vrai. Tu passes devant. Cependant est-ce que, sous prétexte que tu passes devant, tu as tous les droits? Et le droit d'oublier les autres?

– J'ai compris, Mamie-Rose. Appelez-les.

Voilà, Dieu, la suite, je te la fais brève parce que

---

9 **le remords:** Gewissensbiss.
12 **foutre le cafard à qn:** jdn. trübsinnig, traurig machen.
21 **sous prétexte** (m.) **de:** unter dem Vorwand, dass.
24 **bref, brève:** kurz, knapp.

j'ai le poignet qui fatigue. Mamie-Rose a prévenu l'hôpital, qui a prévenu mes parents, qui sont venus chez Mamie-Rose et on a tous fêté Noël ensemble.

Quand mes parents sont arrivés, je leur ai dit:

5 – Excusez-moi, j'avais oublié que, vous aussi, un jour, vous alliez mourir.

Je ne sais pas ce que ça leur a débloqué, cette phrase, mais après, je les ai retrouvés comme avant et on a passé une super-soirée de Noël.

10 Au dessert, Mamie-Rose a voulu regarder à la télévision la messe de minuit et aussi un match de catch qu'elle avait enregistré. Elle dit que ça fait des années qu'elle se garde toujours un match de catch à visionner avant la messe de minuit pour se
15 mettre en jambes, que c'est une habitude, que ça lui ferait bien plaisir. Du coup, on a tous regardé un combat qu'elle avait mis de côté. C'était formidable. Méphista contre Jeanne d'Arc! Maillots de bain et cuissardes! Des sacrées gaillardes! comme
20 disait papa qui était tout rouge et qui avait l'air d'aimer ça, le catch. Le nombre de coups qu'elles

---

7 **débloquer:** (aus)lösen.
12 **enregistrer:** (Sendung) aufnehmen.
14 **visionner:** ansehen, anschauen.
14f. **se mettre en jambes** (fig.): in Form kommen.
17 **mettre qc de côté:** hier (fig.): etwas zurücklegen, aufsparen.
19 **les cuissardes** f. pl.: Anglerstiefel; hier: Ringerstiefel.
   le gaillard / la gaillarde: strammer Bursche, strammes Mädchen.

se sont mis sur la gueule, c'est pas imaginable. Moi, je serais mort cent fois dans un combat pareil. C'est une question d'entraînement, m'a dit Mamie-Rose, les coups sur la gueule, plus t'en prends, plus tu peux en prendre. Faut toujours garder l'espoir. Au fait, c'est Jeanne d'Arc qui a gagné, alors que, vraiment, au début on n'aurait pas cru: ça a dû te faire plaisir.

À propos, bon anniversaire, Dieu. Mamie-Rose, qui vient de me coucher dans le lit de son fils ainé qui était vétérinaire au Congo avec les éléphants, m'a suggéré que, comme cadeau d'anniversaire pour toi, c'était très bien, ma réconciliation avec mes parents. Moi, franchement, je trouve ça limite comme cadeau. Mais si Mamie-Rose, qui est une vieille copine à toi, le dit …

À demain, bisous,
Oscar.

P.-S. J'oubliais mon vœu: que mes parents restent toujours comme ce soir. Et moi aussi. C'était un chouette Noël, surtout Méphista contre Jeanne d'Arc. Désolé pour ta messe, j'ai décroché avant.

---

1 **la gueule:** Maul; (fam.) Visage, Fresse.
3 **un entraînement:** Training.
11 **le vétérinaire:** Tierarzt.
14 **limite:** hier: hart an der Grenze.
22 **décrocher:** hier (fam.): aufgeben, nicht durchhalten.

Cher Dieu,

J'ai soixante ans passés et je paie l'addition pour tous les abus que j'ai faits hier soir. Ça n'a pas été la grande forme aujourd'hui.

5 Ça m'a fait plaisir de revenir chez moi, à l'hôpital. On devient comme ça, quand on est vieux, on n'aime plus voyager. Sûr que je n'ai plus envie de partir.

Ce que je ne t'ai pas dit dans ma lettre d'hier,
10 c'est que, chez Mamie-Rose, sur une étagère, dans l'escalier, il y avait une statue de Peggy Blue. Je te jure. Exactement la même, en plâtre, avec le même visage très doux, la même couleur bleue sur les vêtements et sur la peau. Mamie-Rose prétend que
15 c'est la Vierge Marie, ta mère d'après ce que j'ai compris, une madone héréditaire chez elle depuis plusieurs générations. Elle a accepté de me la donner. Je l'ai mise sur ma table de chevet. De toute façon, ça reviendra un jour dans la famille de Ma-
20 mie-Rose puisque je l'ai adoptée.

---

3 **un abus:** Missbrauch; hier: Ausschweifung.
12 **le plâtre:** Gips.
15 **la Vierge Marie:** die Jungfrau Maria.
16 **héréditaire:** erblich, vererbt.
18 **la table de chevet:** Nachttisch.

Peggy Blue va mieux. Elle est venue me rendre visite en fauteuil. Elle ne s'est pas reconnue dans la statue mais on a passé un joli moment ensemble. On a écouté *Casse-Noisette* en se tenant la main et
5 ça nous a rappelé le bon temps.

Je te parle pas plus longtemps parce que je trouve le stylo un peu lourd. Tout le monde est malade ici, même le docteur Düsseldorf, à cause des chocolats, des foies gras, des marrons glacés et
10 du champagne que les parents ont offerts en masse au personnel soignant. J'aimerais bien que tu me rendes visite.

Bisous, à demain,
Oscar.

---

2 **le fauteuil:** hier: *le fauteuil roulant:* Rollstuhl.
9 **le fois gras:** Gänseleberpastete.
   le marron: Esskastanie (traditionelles französisches Weihnachtsessen).
   glacé, e: glasiert.
11 **le personnel soignant:** Pflegepersonal.

Cher Dieu,

Aujourd'hui, j'ai eu de soixante-dix à quatre-vingts
ans et j'ai beaucoup réfléchi.

D'abord, j'ai utilisé le cadeau de Mamie-Rose
5 pour Noël. Je ne sais pas si je t'en avais parlé?
C'est une plante du Sahara qui vit toute sa vie en
un seul jour. Sitôt que la graine reçoit de l'eau, elle
bourgeonne, elle devient tige, elle prend des feuil-
les, elle fait une fleur, elle fabrique des graines, elle
10 se fane, elle se raplatit et, hop, le soir c'est fini.
C'est un cadeau génial, je te remercie de l'avoir inventé. On l'a arrosée ce matin à sept heures, Mamie-Rose, mes parents et moi – au fait, je ne sais si
je t'ai dit, ils habitent en ce moment chez Mamie-
15 Rose parce que c'est moins loin – et j'ai pu suivre
toute son existence. J'étais ému. C'est sûr qu'elle

---

7 **sitôt:** sobald.
  la graine: Samenkorn.
8 **bourgeonner:** Knospen treiben.
  devenir tige: sprießen (*la tige:* Stängel).
9 **faire une fleur:** eine Blüte treiben.
10 **se faner:** verwelken.
  se raplatir: flach, platt werden; hier: verdorren.
12 **arroser:** (be)gießen.
16 **ému, e:** bewegt, gerührt.

est plutôt chétive et riquiqui comme fleur – elle n'a rien d'un baobab mais elle a fait bravement tout son boulot de plante, comme une grande, devant nous en une journée, sans s'arrêter.

5 Avec Peggy Blue, on a beaucoup lu le *Dictionnaire médical*. C'est son livre préféré. Elle est passionnée par les maladies et elle se demande lesquelles elle pourra avoir plus tard. Moi, j'ai regardé les mots qui m'intéressaient: «Vie», «Mort», 10 «Foi», «Dieu». Tu me croiras si tu veux, ils n'y étaient pas! Remarque, ça prouve déjà que ce ne sont pas des maladies, ni la vie, ni la mort, ni la foi, ni toi. Ce qui est plutôt une bonne nouvelle. Pourtant, dans un livre aussi sérieux, il devrait y 15 avoir des réponses aux questions les plus sérieuses, non?

– Mamie-Rose, j'ai l'impression que, dans le *Dictionnaire médical*, il n'y a que des trucs particuliers, des problèmes qui peuvent arriver à tel ou tel 20 bonhomme. Mais il n'y a pas les choses qui nous concernent tous: la Vie, la Mort, la Foi, Dieu.

– Il faudrait peut-être prendre un *Dictionnaire de philosophie*, Oscar. Cependant, même si tu

---

1 **chétif, ve:** kümmerlich, schwächlich.
  riquiqui (fam.): mickrig, armselig.
2 **le baobab:** Affenbrotbaum.
3 **le boulot** (fam.): Arbeit.
20 **le bonhomme** (fam.): Mann, Kerl.

trouves bien les idées que tu cherches, tu risques
d'être déçu aussi. Il propose plusieurs réponses
très différentes pour chaque notion.

– Comment ça se fait?

5 – Les questions les plus intéressantes restent
des questions. Elles enveloppent un mystère. À
chaque réponse, on doit joindre un «peut-être». Il
n'y a que les questions sans intérêt qui ont une réponse définitive.

10 – Vous voulez dire qu'à «Vie», il n'y a pas de
solution?

– Je veux dire qu'à «Vie», il y a plusieurs solu-
tions, donc pas de solution.

– Moi, c'est ce que je pense, Mamie-Rose, il n'y
15 a pas de solution à la vie sinon vivre.

Le docteur Düsseldorf est passé nous voir. Il
traînait son air de chien battu, ce qui le rend encore plus expressif, avec ses grands sourcils noirs.

– Est-ce que vous vous coiffez les sourcils, doc-
20 teur Düsseldorf? j'ai demandé.

Il a regardé autour de lui, très surpris, il avait
l'air de demander à Mamie-Rose, à mes parents,

---

2 **déçu, e:** enttäuscht.
6 **envelopper:** hier: enthalten, bergen.
7 **joindre:** hier: hinzufügen.
17 **traîner:** hier: mit sich schleppen.
18 **expressif, ve:** ausdrucksstark.
19 **coiffer:** kämmen, frisieren.

s'il avait bien entendu. Il a fini par dire oui d'une voix étouffée.

– Faut pas tirer une tête pareille, docteur Düsseldorf. Écoutez, je vais vous parler franchement parce que moi, j'ai toujours été très correct sur le plan médicament et vous, vous avez été impeccable sur le plan maladie. Arrêtez les airs coupables. Ce n'est pas de votre faute si vous êtes obligé d'annoncer des mauvaises nouvelles aux gens, des maladies aux noms latins et des guérisons impossibles. Faut vous détendre. Vous décontracter. Vous n'êtes pas Dieu le Père. Ce n'est pas vous qui commandez à la nature. Vous êtes juste réparateur. Faut lever le pied, docteur Düsseldorf, relâcher la pression et pas vous donner trop d'importance, sinon vous n'allez pas pouvoir continuer ce métier longtemps. Regardez déjà la tête que vous avez.

En m'écoutant, le docteur Düsseldorf avait la

1f. **d'une voix étouffée:** kaum hörbar.
3 **tirer une tête** (fig.): eine Miene machen, das Gesicht verziehen.
6f. **impeccable:** einwandfrei, sehr korrekt.
7 **coupable:** schuldig.
10 **la guérison:** Heilung.
11 **se détendre:** sich entspannen.
    se décontracter: locker werden.
14 **lever le pied** (fig.): loslassen.
14f. **relâcher:** lockern.

bouche comme s'il gobait un œuf. Puis il a souri, un vrai sourire, et il m'a embrassé.

– Tu as raison, Oscar. Merci de m'avoir dit ça.

– De rien, docteur. À votre service. Revenez quand vous voulez.

Voilà, Dieu. Toi, par contre, j'attends toujours ta visite. Viens. N'hésite pas. Viens, même si j'ai beaucoup de monde en ce moment. Ça me ferait vraiment plaisir.

À demain, bisous,
Oscar.

1 **gober un œuf:** ein rohes Ei hinunterschlucken.

Cher Dieu,

Peggy Blue est partie. Elle est rentrée chez ses parents. Je ne suis pas idiot, je sais très bien que je ne la reverrai jamais.

Je ne t'écrirai pas parce que je suis trop triste. On a passé notre vie ensemble, Peggy et moi, et maintenant je me retrouve seul, chauve, ramolli, et fatigué dans mon lit. C'est moche de vieillir.

Aujourd'hui, je ne t'aime plus.

Oscar.

---

7 **ramolli, e:** schlapp, schlaff.

Cher Dieu,

Merci d'être venu.

T'as choisi pile ton moment parce que j'allais pas bien. Peut-être aussi que tu étais vexé à cause de ma lettre d'hier ...

Quand je me suis réveillé, j'ai songé que j'avais quatre-vingt-dix ans et j'ai tourné la tête vers la fenêtre pour regarder la neige.

Et là, j'ai deviné que tu venais. C'était le matin. J'étais seul sur la Terre. Il était tellement tôt que les oiseaux dormaient encore, que même l'infirmière de nuit, Madame Ducru, avait dû piquer un roupillon, et toi tu essayais de fabriquer l'aube. Tu avais du mal mais tu insistais. Le ciel pâlissait. Tu gonflais les airs de blanc, de gris, de bleu, tu repoussais la nuit, tu ravivais le monde. Tu n'arrêtais pas. C'est là que j'ai compris la différence entre toi

---

3 **pile** (adv., fam.): genau (Zeitpunkt); *à dix heures pile:* genau um zehn, Punkt zehn Uhr.

4 **vexé, e:** verärgert.

9 **deviner:** (er)raten.

13 **une aube:** Morgendämmerung.

14 **pâlir:** blass werden.

15 **gonfler:** aufpumpen, aufblähen.

16 **raviver:** wiederbeleben, lebendig werden lassen.

et nous: tu es le mec infatigable! Celui qui ne se lasse pas. Toujours au travail. Et voilà du jour! Et voilà de la nuit! Et voilà le printemps! Et voilà l'hiver! Et voilà Peggy Blue! Et voilà Oscar! Et voilà Mamie-Rose! Quelle santé!

J'ai compris que tu étais là. Que tu me disais ton secret: regarde chaque jour le monde comme si c'était la première fois.

Alors j'ai suivi ton conseil et je me suis appliqué. La première fois. Je contemplais la lumière, les couleurs, les arbres, les oiseaux, les animaux. Je sentais l'air passer dans mes narines et me faire respirer. J'entendais les voix qui montaient dans le couloir comme dans la voûte d'une cathédrale. Je me trouvais vivant. Je frissonnais de pure joie. Le bonheur d'exister. J'étais émerveillé.

Merci, Dieu, d'avoir fait ça pour moi. J'avais l'impression que tu me prenais par la main et que tu m'emmenais au cœur du mystère contempler le mystère. Merci.

À demain, bisous,
Oscar.

---

1 **le mec** (fam.): Typ, Kerl.
1 f. **se lasser:** (einer Sache) müde, überdrüssig werden.
10 **contempler:** (bewundernd) betrachten.
12 **la narine:** Nasenloch.
14 **la voûte:** Gewölbe.
15 **frissonner:** beben, erschauern.
16 **emerveillé, e:** entzückt, voll Bewunderung.

P.-S. Mon vœu: est-ce que tu peux refaire le coup de la première fois à mes parents? Mamie-Rose je crois qu'elle connaît déjà. Et puis Peggy, aussi, si tu as le temps ...

---

1 **le coup:** hier: Tat, Kunststück.

Cher Dieu,

Aujourd'hui j'ai cent ans. Comme Mamie-Rose. Je
dors beaucoup mais je me sens bien.

    J'ai essayé d'expliquer à mes parents que la vie,
5 c'était un drôle de cadeau. Au départ, on le surestime, ce cadeau: on croit avoir reçu la vie éternelle. Après, on le sous-estime, on le trouve pourri,
trop court, on serait presque prêt à le jeter. Enfin,
on se rend compte que ce n'était pas un cadeau,
10 mais juste un prêt. Alors on essaie de le mériter.
Moi qui ai cent ans, je sais de quoi je parle. Plus on
vieillit, plus faut faire preuve de goût pour apprécier la vie. On doit devenir raffiné, artiste. N'im-
porte quel crétin peut jouir de la vie à dix ou à
15 vingt ans, mais à cent, quand on ne peut plus bou-
ger, faut user de son intelligence.

    Je ne sais pas si je les ai bien convaincus.

    Visite-les. Finis le travail. Moi je fatigue un peu.

À demain, bisous,
Oscar.

5–7 **surestimer / sous-estimer:** über-/unterschätzen.
10 **le prêt:** Leihgabe.
13 **raffiné, e:** feinfühlig.
14 **jouir de qc:** etwas genießen.
16 **user de qc:** etwas gebrauchen, einsetzen.

Cher Dieu,

Cent dix ans. Ça fait beaucoup. Je crois que je commence à mourir.

Oscar.

Cher Dieu,

Le petit garçon est mort.

Je serai toujours dame rose mais je ne serai plus Mamie-Rose. Je ne l'étais que pour Oscar.

5 Il s'est éteint ce matin, pendant la demi-heure où ses parents et moi nous sommes allés prendre un café. Il a fait ça sans nous. Je pense qu'il a attendu ce moment-là pour nous épargner. Comme s'il voulait nous éviter la violence de le voir dispa-
10 raître. C'était lui, en fait, qui veillait sur nous.

J'ai le cœur gros, j'ai le cœur lourd, Oscar y habite et je ne peux pas le chasser. Il faut que je garde encore mes larmes pour moi, jusqu'à ce soir, parce que je ne veux pas comparer ma peine à cel-
15 le, insurmontable, de ses parents.

Merci de m'avoir fait connaître Oscar. Grâce à lui, j'étais drôle, j'inventais des légendes, je m'y connaissais même en catch. Grâce à lui, j'ai ri et

---

5 **s'éteindre:** erlöschen; hier: sterben, dahingehen, entschlafen.
8 **épargner qn:** jdn. verschonen.
9 **la violence:** Gewalt; hier: Qual.
11 **avoir le cœur gros** (fig.): traurig, bedrückt sein.
15 **insurmontable:** unüberwindlich; hier: nicht zu übertreffen.
17f. **s'y connaître en qc:** sich in etwas auskennen, etwas von einer Sache verstehen.

j'ai connu la joie. Il m'a aidé à croire en toi. Je suis pleine d'amour, ça me brûle, il m'en a tant donné que j'en ai pour toutes les années à venir.

À bientôt,
Mamie-Rose.

P.-S. Les trois derniers jours, Oscar avait posé une pancarte sur sa table de chevet. Je crois que cela te concerne. Il y avait écrit: «Seul Dieu a le droit de me réveiller.»

---

7 **la pancarte:** Schild.

Editorische Notiz

Der französische Text folgt der Ausgabe: Éric-Emmanuel Schmitt, *Oscar et la dame rose*, Paris: Albin Michel, 2002. Das Glossar enthält in der Regel alle Wörter, die nicht zum Grundwortschatz der Wortschatzsammlung *Thematischer Grund- und Aufbauwortschatz Französisch* (Stuttgart: Klett, 2000) zählen, so dass dieser sprachlich relativ einfache Text auch für Leser mit eher geringen Französischkenntnissen verständlich sein sollte.

Im Glossar verwendete französische Abkürzungen

adv.	adverbe
angl.	anglais, anglicisme
enf.	langage enfantin (Kindersprache)
f.	féminin
fam.	familier (umgangssprachlich)
fig.	figuré (übertragen)
inf.	infinitif
m.	masculin
pl.	pluriel
pop.	populaire (salopp)
qc	quelque chose
qn	quelqu'un

Werke von Éric-Emmanuel Schmitt

La nuit de Valognes. Arles: Actes Sud, 1991. – Schulausg. *La Nuit de Valognes.* Prés., notes, questions et après-texte par Claudia Julien. Paris: Magnard, 2005. (Classiques & Contemporains. 79.)

Le Visiteur. Arles: Actes Sud, 1993. – Schulausg. *Le Visiteur.* Prés., notes, questions et après-texte par Catherine Casin-Pellegrini. Paris: Magnard, 2002. (Classiques & Contemporains. 42.)

Dt.: *Der Besucher.* Lengwil: Libelle-Verlag, 1997.

Golden Joe. Paris: Albin Michel, 1994.

La secte des Égoïstes. Roman. Paris: Albin Michel, 1994.

Dt.: *Die Schule der Egoisten. Roman.* Zürich: Ammann, 2004.

Variations énigmatiques. Paris: Albin Michel. 1996.

Dt.: *Enigma. Variations Énigmatiques.* Lengwil: Libelle-Verlag, 1997. – Hörspiel: *Enigma.* Produktion: Mitteldeutscher Rundfunk. Berlin: Der Audio Verlag, 2001. – Video-Film: *Enigma. Eine uneingestandene Liebe.* E. M. S. 2009. [Special Edition, 2 DVDs.]

Diderot ou La philosophie de la séduction. Paris: Albin Michel, 1997.

Le Libertin. Paris: Albin Michel, 1997.

Dt.: *Der Freigeist.* Lengwil: Libelle-Verlag, 1997. – Hörspiel: *Diderot – Der Freigeist.* Produktion: Mitteldeutscher Rundfunk. Berlin: Der Audio Verlag, 2000.

Milarepa. Paris: Albin Michel, 1997.

Dt.: *Milarepa.* Zürich: Ammann, 2006.– Hörspiel:

Milarepa. Produktion: Rundfunk Berlin-Branden-
burg. Berlin: Der Audio Verlag, 2006.

Les imaginaires du théâtre. Dossier réalisé par Jean-
Claude et Sophie-Justine Lieber. Paris: Gallimard,
1997. (La Nouvelle Revue Française. 534/535.)
[Enthält: Agota Kristof: *Le Monstre* – Joël Jouan-
neau: *L'Œil du taureau* – Éric-Emmanuel Schmitt:
Le Bâillon.]

Frédérick ou Le Boulevard du crime. Paris: Albin
Michel, 1998.

*Gesammelte Stücke: Frederick oder Boulevard des
Verbrechens – Der Besucher – Der Freigeist – Enigma.* Lengwil: Libelle-Verlag, 1999.

Hôtel des Deux Mondes. Paris: Albin Michel, 1999.
Dt.: *Hotel zu den zwei Welten.* Lengwil: Libelle-
Verlag, 2001.

*Théâtre 1: La nuit de Valognes – Le Visiteur – Le
Bâillon – L'École du diable.* Paris: Albin Michel,
1999. – Tb.-Ausg. Paris: Librairie Générale Française, 2002. (Le Livre de Poche. 15396.)

L'Évangile selon Pilate. Roman. Paris: Albin Michel,
2000. Nouv. éd. 2005.
Dt.: *Das Evangelium nach Pilatus. Roman.* Zürich:
Ammann, 2005. – Hörbuch: *Das Evangelium nach
Pilatus.* Berlin: Der Audio-Verlag, 2005.

Monsieur Ibrahim et les fleurs du Coran. Paris: Albin
Michel, 2001. – Schulausg. *Monsieur Ibrahim et les
fleurs du Coran.* Prés., notes, questions et après-texte par Josiane Grinfas-Bouchibti. Paris: Magnard,
2004. (Classiques & Contemporains. 57.)
Dt.: *Monsieur Ibrahim und die Blumen des Koran.*
Zürich: Ammann, 2003. – Hörbuch: *Monsieur Ibra-*

him und die Blumen des Koran. Berlin: Der Audio-Verlag, 2003. – Videofilm: *Monsieur Ibrahim und die Blumen des Koran.* Berlin: Universum Film, 2004. [Als Videocassette, DVD-Video sowie Special Edition zus. mit Sonderausg. des Romans.]

La part de l'autre. Roman. Paris: Albin Michel, 2001. Dt.: *Adolf H. Zwei Leben. Roman.* Zürich: Ammann, 2007.

Lorsque j'étais une œuvre d'art. Roman. Paris: Albin Michel, 2002.
Dt.: *Als ich ein Kunstwerk war.* Zürich: Ammann, 2009. – Hörbuch: *Als ich ein Kunstwerk war.* Berlin: Der Audio Verlag, 2009.

Oscar et la dame rose. Paris: Albin Michel, 2002.
Dt.: *Oskar und die Dame in Rosa.* Zürich: Ammann, 2003. – Hörspiel: *Oskar und die Dame in Rosa.* Produktion: Norddeutscher Rundfunk. Berlin: Der Audio-Verlag, 2004.

Petits crimes conjugaux. Paris: Albin Michel, 2003.
Dt.: *Kleine Eheverbrechen.* Zürich: Ammann, 2006. – Hörbuch: *Kleine Eheverbrechen.* Berlin: Der Audio Verlag, 2006.

Théâtre 2: Golden Joe – Variations énigmatiques – Le Libertin. Paris: Librairie Générale Française, 2003. (Le Livre de Poche. 15599.)

Ma bibliothèque personnelle. Conférence et lecture du 21 janvier 2004. Pierre Assouline, interview; Louise Labé, Denis Diderot, Blaise Pascal [u. a.], auteurs des textes. Paris: Bibliothèque nationale de France, 2004. [Compact-Disc.]

L'enfant de Noé. Paris: Albin Michel, 2004.
Dt.: *Das Kind von Noah. Erzählung.* Zürich: Am-

mann, 2004. – Hörbuch: *Das Kind von Noah*. Berlin: Der Audio Verlag, 2005.

Mes évangiles. Paris: Albin Michel, 2004.

Ma vie avec Mozart. Paris: Albin Michel, 2005. [Mit 1 CD.]

Dt.: *Mein Leben mit Mozart*. Zürich: Ammann, 2005. [Mit 1 CD.] – Hörbuch: *Mein Leben mit Mozart*. Berlin: Der Audio-Verlag, 2006.

Odette Toulemonde et autres histoires. Paris: Albin Michel, 2006.

Dt.: *Odette Toulemonde und andere Geschichten*. Zürich: Ammann, 2007. – Videofilm: *Odette Toulemonde*. Berlin: Universum Film, 2008. [1 DVD-Video; frz. und dt.]

Théâtre 3: *Frédérick ou le Boulevard du Crime – Hôtel des Deux Mondes – Petits crimes conjugaux*. Paris: Librairie Générale Française, 2006. (Le Livre de Poche. 30618.)

La tectonique des sentiments. Paris: Albin Michel, 2006.

La rêveuse d'Ostende. Paris: Albin Michel, 2007.

Ulysse from Bagdad. Paris: Albin Michel, 2008.

Le sumo qui ne pouvait pas grossir. Paris: Albin Michel, 2009.

Nachwort

Der französische Philosoph und Schriftsteller Éric-Emmanuel Schmitt bietet mit seinem zunächst als Trilogie angelegten »Cycle de l'Invisible« auf populäre Weise einen Einstieg in das Verständnis der großen Weltreligionen: den Buddhismus mit *Milarepa* (1997), den Islam mit *Monsieur Ibrahim et les fleurs du Coran* (2001) und in das Christentum mit der Erzählung *Oscar et la dame rose* (2002).

In diesem dritten Teil wird die Geschichte eines unheilbar an Leukämie erkrankten zehnjährigen Jungen erzählt. In dreizehn an Gott gerichteten Briefen stellt Oscar in der ihm noch verbleibenden Lebensfrist offen seine Sorgen, Nöte, aber auch die Freuden am Ende seines Lebens im Krankenhaus dar.

Um dem Leser einen besseren Zugang zu der Erzählung zu ermöglichen, muss man sie in die seit einigen Jahren erneut aufgeflammte philosophische Diskussion in Frankreich und in Deutschland einordnen.

Zum einen führt sie eine in der Nachfolge der 68er Jahre begonnene Erörterung über deren grundsätzliche Fragestellungen und ihre Bedeutung in der säkularisierten Gesellschaft fort.[1] Auf das wachsende Bedürfnis u. a. nach Sinnsuche in der modernen Welt reagierten französische Philosophen mit der Gründung sogenannter *cafés philosophiques*, wo allsonntäglich

---

1 Vgl. dazu: Luc Ferry, *L'homme-Dieu ou le Sens de la vie*, Paris 1996, S. 25 ff. (Luc Ferry war von 2002 bis 2004 französischer Minister für Jugend, Erziehung und Wissenschaft.)

Problemfragen zusammen mit dem interessierten Publikum erörtert wurden. Der rege Zuspruch verdeutlichte der ›Schulphilosophie‹, dass die Bürger an philosophischen Fragen interessiert sind, ja, dass mit ihnen auch außerhalb des universitären Betriebs auf anspruchsvolle Weise diskutiert werden kann.

Andererseits führt die Erzählung eine Diskussion weiter, die spätestens seit dem Bestseller *Sofies Welt. Roman über die Geschichte der Philosophie* von Jostein Gaarder im Jahr 1993 in die Öffentlichkeit gelangt ist und diskutiert wird. Es geht um die Streitfrage, ob man mit Kindern bzw. Jugendlichen angemessen philosophieren könne. Im öffentlichen Selbstverständnis wurde dieser Diskurs z. T. auf die Fragestellung reduziert, ob Kinder/Jugendliche sich intellektuell überhaupt mit höchst komplizierten philosophischen Sachverhalten auseinanderzusetzen vermögen. Denn zu deren Zugang müsse man doch zumindest über ein angemessenes Fachvokabular verfügen, um mitreden zu können. Manche Philosophen haben sogar bestritten, dass Kinder/Jugendliche dazu überhaupt fähig seien.

Diese Diskussion, verbunden mit dem zunehmenden Bedürfnis nach Vermittlung ethischer Wertvorstellungen in der säkularisierten Gesellschaft, hat Auswirkungen bis in die Lehrpläne der Bundesländer, in denen Philosophie-/Ethikunterricht bereits für Sextaner vorgeschrieben wird, sofern sie nicht am Religionsunterricht teilnehmen (wie z. B. in Schleswig-Holstein).

In jüngster Zeit hat der Berliner Philosoph Volker Gerhardt Kinder zu einem philosophischen Kolloquium in die Humboldt-Universität Berlin eingeladen, um mit ihnen die Frage: *Warum wollen wir eigentlich etwas wissen?*[2] zu diskutieren. In einem nachfolgenden Interview mit dem Deutschlandfunk hat der Wissenschaftler bestätigt, dass man mit ihnen ebenso diskutieren kann wie mit Erwachsenen, ja sogar besser, weil sie sich meist völlig unvoreingenommen mit fundamentalen Fragen auseinandersetzen.[3]

Die Philosophie ist von ihrem Elfenbeinturm hinab in die Öffentlichkeit gestiegen und es scheint nunmehr eine Selbstverständlichkeit, dass sich an philosophischen Diskussionen nicht nur jeder beteiligen und Sinnfragen (für sich) vorläufig beantworten kann. Denn es gehört zu den elementaren Eigenschaften des Menschen, diese zu stellen. Immanuel Kant hat sie in vier Kategorien zusammengefasst: *Was kann ich wissen? Was soll ich tun? Was darf ich hoffen? Was ist der Mensch?*[4] Mit deren Beantwortung soll sich der Mensch in der Welt und in seinem Selbstsein orientieren können.

In diesem Zusammenhang ist die Erzählung *Oscar et la dame rose* anzusiedeln, deren Autor, Éric-Emmanuel Schmitt, 1960 in Lyon geboren ist. Er studiert am Konservatorium in Lyon Klavier und an der École Normale Supérieure Philosophie. Aggrégation 1983. 1987 promoviert er über Diderot. (Die Auseinandersetzung mit dem Philosophen der Aufklärung erscheint als Essai 1997 unter dem Titel: *Diderot ou La philosophie de la séduction*.)

2 Volker Gerhardt, Veranstaltung vom 8. 1. 2004 im Rahmen der »Kinderuniversität« der Humboldt-Universität Berlin.
3 Siehe: http://archiv.tagesspiegel.de/archiv/06.01.2004/918568.asp#art
4 Vgl. u. a. http://de.wikipedia.org/wiki/Philosophie.

Schmitt unterrichtet zunächst an der Universität von Chambéry Philosophie, bevor er ab 1991 in regelmäßigen Abständen Theaterstücke und ab 1994 auch Romane publiziert. Seine eigentliche Karriere als Theaterautor beginnt mit dem Stück *Le Visiteur*. Es wird 1993 im Petit Théâtre in Paris uraufgeführt und erhält 1994 drei »Molières« (die höchste französische Auszeichnung für Theaterschaffende): beste Aufführung, bester Theaterautor und beste Theater(neu)entdeckung.

Diesem Erfolg schließt sich 1994 Schmitts erster Roman an: *La secte des Egoïstes*. Er wird ebenfalls preisgekrönt, und zwar mit dem »Prix du Premier Roman«.

Es folgen rasch aufeinander *Golden Joe* (Theaterstück) 1995, *Variations énigmatiques* (Theaterstück) 1996, 1997 der Essai über Diderot. Im selben Jahr erscheinen noch *Le Libertin* (Theaterstück) und die Erzählung *Milarepa* als erster Teil des »Cycle de l'Invisible«. 1998 veröffentlicht Schmitt das Stück *Frédéric ou le boulevard du crime*, 1999 *Hôtel des deux mondes*, ebenfalls ein Theaterstück. Im Jahr 2000 erscheint Schmitts zweiter Roman: *L'Évangile selon Pilate*, der mit dem »Prix des Lectrices de *Elle*« ausgezeichnet wird. 2001 folgt der Roman *La part de l'autre*. Im gleichen Jahr wird auch die Erzählung *Monsieur Ibrahim et les fleurs du Coran* veröffentlicht.[5] Dieser Erzählung, dem zweiten Teil des »Cycle de l'Invisible«, folgt im Jahr 2002 *Oscar et la dame rose*, mit dem die zunächst geplante Trilogie vorläufig abgeschlossen wird. Für

5 Vgl. dazu das Nachwort in: Éric-Emmanuel Schmitt, *Monsieur Ibrahim et les fleurs du Coran*, hrsg. von Ernst Kemmner, Stuttgart 2003 (Reclams Universal-Bibliothek 9118), S. 85 ff.

diese Erzählung erhält der Romancier den »Prix Jean Bernard« (»Preis der Medizinakademie«), der zum ersten Mal einem literarischen Werk zuerkannt wird. Im selben Jahr erscheint auch der Roman *Lorsque j'étais une œuvre d'art*.

2004 veröffentlicht Schmitt mit dem kurzen Roman *L'enfant de Noé* eine Art Fortsetzung des »Cycle de l'Invisible«. Wiederum greift er darin das Thema der Bedeutung und Stellung von Religion auf, und zwar in ihrer Funktion als Hüterin bedrohter Kulturen.

Die in Variationen wiederkehrenden Grundthemen seiner Werke werden durch eine biographische Begebenheit akzentuiert. In einem Interview mit der Journalistin Claire Lesegretain in der katholischen Tageszeitung *La Croix* vom 7. Oktober 2000 berichtet der Autor im Zusammenhang mit der Entstehung des Romans *L'Évangile selon Pilate* folgende Begebenheit:

Vous avez, je crois, vécu une forte expérience spirituelle. Comment cela c'est-il passé?

J'étais parti dans le Hoggar avec des amis. Nous avons gravi le mont Tahar, le plus haut sommet et j'ai voulu redescendre le premier.

J'ai vite compris que je ne prenais pas le bon chemin, mais j'ai poursuivi, irrésistiblement séduit par l'idée de me perdre. Quand la nuit et le froid sont tombés, comme je n'avais rien, je me suis enterré dans le sable.

Alors que j'aurai dû avoir peur, cette nuit de solitude sous la voûte étoilée a été extraordinaire. J'ai éprouvé le sentiment de l'Absolu et, avec la certitude qu'un Ordre, une intelligence, veille sur nous, et que, dans cet ordre, j'ai été créé, voulu.

Et puis la même phrase occupait mes pensées: «Tout est justifié.»

Comment la compreniez-vous?

C'était une réponse à toutes mes interrogations sur le Mal. Je n'avais plus à me scandaliser de l'incompréhensible.

Je pouvais accepter la mort comme une bonne surprise … Cette nuit fut aussi une expérience d'éternité. Cet instant dilaté m'a rendu incroyablement fort: je sais dorénavant qu'à l'intérieur de moi il y a plus que moi, pour reprendre l'expression de Saint-Augustin.

Cette nuit mystique reste une expérience fondatrice.

Vous souvenez-vous de la date de cette nuit-là?

C'était le 4 février 1989. C'est à partir de cette date que j'ai pu écrire. Jusque-là, ce que j'écrivais me paraissait vain. Peu de temps après, j'ai rédigé ma première pièce, La Nuit de Valognes et, depuis, ne me suis guère arrêté. Cette nuit dans le désert m'a révélé ce pourquoi j'étais fait: j'étais un scribe.[6]

---

6 Im Internet unter: http://www.eric-emmanuel-schmitt.com/portrait5.htm; vgl. dazu http://www.la-croix.com/archives/. Dazu auch der Artikel von Iris Alanyali »Der König der Wüste – Eine Begegnung mit Eric-Emmanuel Schmitt, der in der Sahara Gott traf« in: *Die Literarische Welt* (Beilage der *Welt*), 10. April 2004, S. 2.

Indirekt greift der Autor diese Begebenheit im »Cycle de l'Invisible« wieder auf.

In den drei kurzen Erzählungen (jeweils knapp um die 100 Seiten lang) und im Roman von 2004 setzt er sich mit der Sinnsuche des Menschen in einer scheinbar sinnentleerten Welt auseinander. Am Beispiel eines Einzelgängers, Simon, in *Milarepa* bzw. dreier Jugendlicher in existenziell bedrohlichen Situationen erzählt er, wie die großen Weltreligionen (Judaismus, Christentum, Buddhismus und Islam) durch ihre unterschiedlichen Ansätze zu einem sinnerfüllten Leben beitragen können.

Im ersten Teil, *Milarepa*, stellt der Erzähler über einen wiederkehrenden Albtraum des Helden Simon, den dieser in Form eines Monologs erzählt, den Zyklus der Wiedergeburten im Buddhismus (tibetischer Tradition) dar. Es geht um die Suche nach dem Sinn des Daseins als solchem, einerseits illustriert an Svastika, dem Onkel Milarepas, dem eigentlichen Helden.

Svastikas ganzes Trachten ist auf das materielle Wohlergehen im Diesseits gerichtet. Dafür ist er auch bereit, Milarepa, dessen Mutter und seine Schwester zugrunde zu richten. Das macht den Neffen so betroffen, dass er zunächst die schwarze Magie erlernt, um sich an seinem Onkel zu rächen. Nachdem er jedoch erkennt, was er mit seinen Taten angerichtet hat, beschließt er, Schüler eines berühmten buddhistischen Mönchs (Marepa) zu werden. Erst nach der Erkenntnis, dass das, was landläufig als Lebenssinn dargestellt wird, in Wirklichkeit nichts als Schein ist, wird Milarepa von Marepa als Schüler angenommen. Nach einer weiteren Reihe von Prüfungen wird er ein berühmter tibetanischer Eremit und Mitbegründer der Kagyü-Tradition. In den Vajra-Liedern, auch als »Milarepas einhunderttausend Gesänge« bekannt, vermittelte er seine direkte Einsicht in die wahre Natur der Dinge und belehrt dadurch.

Auch in der zweiten Erzählung des Zyklus, *Monsieur Ibrahim et les fleurs du Coran*, geht es um Initiation ins Leben. Hier wird die Sinnfrage, wie sie vom Judaismus und dem Islam (Sufismus) beantwortet wird, ins Zentrum der Geschichte gestellt. Monsieur Ibrahim erzieht Momo, der an der Sinnhaftigkeit des Lebens zu scheitern droht, durch seine Lebenseinstellungen und sein Verhalten zur Bejahung des Lebens.

In *L'enfant de Noé* geht es um die Judenverfolgung im 2. Weltkrieg. Der siebenjährige Joseph wird während der Besetzung Belgiens durch die Deutschen in einem katholischen Waisenhaus vor dem Zugriff der Nazis versteckt. Der Pater Pons – »le père Pons«, Leiter des Heims –, Retter und Mentor des Helden, eröffnet ihm, dass er in der Nachfolge des biblischen Noah (daher auch der Titel des Romans) all das sammle, was vom kulturellen Untergang bedroht ist. Zur Zeit dieser Geschichte ist es das Kulturgut der Juden, einschließlich ihrer Sprache. Der Geistliche macht Joseph verständlich, worin das Wesentliche einer Religion besteht: Wesentlich ist nicht, was Gott von den Menschen denkt, sondern umgekehrt, wie der Mensch zu Gott steht. Eine Religion ist weder falsch noch richtig; sie gibt einen bestimmten Lebensstil vor, der nichts mit mathematischer Logik zu tun hat, sondern mit Gefühlen, Normen, Werten. Pater Pons geht dabei von dem

Glauben aus, dass Gott den »Freien Menschen« geschaffen habe. Nun mischt sich Gott nicht mehr in menschliche Angelegenheiten ein. Es ist am freien Menschen, aus der Welt ein Paradies oder eine Hölle zu machen. »Dieu a achevé sa tâche. C'est notre tour désormais. Nous avons la charge de nous-mêmes«.[7]

Dieser Gedanke, der auch in der vorliegenden Erzählung anklingt (wenn sich – wie später auszuführen sein wird – der Held die Frage nach dem Leiden in der Welt stellt), steht nun im Mittelpunkt metaphysischen Nachdenkens und wird zum Schluss konsequent beantwortet. Denn Joseph wird am Ende selber zum Sammler bedrohter palästinensischer wie israelischer Kulturgegenstände. Damit ist klar: Es sind die Kinder, die das philosophisch-metaphysische Erbe und somit auch die Verantwortung für die Kulturen weitertragen, indem sie die Lehren ihrer Vorbilder übernehmen.

Oscar et la dame rose befasst sich mit dem Christentum. Die Grundkonstruktion: ein unheilbar an Leukämie erkranktes Kind, in seiner finalen Lebensphase in einem Krankenhaus. Der Leser ahnt von Anfang an, dass Oscar, der zehnjährige Held, bald sterben wird. Denn die angewandten Therapien – Chemotherapie und zuletzt Knochenmarktransplantation – haben die lebensbedrohende Krankheit nicht geheilt.

Auch der Held selber weiß, wie es um ihn steht – ebenso wie die sich mit ihm befassenden Erwachsenen. Sie werden ihm jedoch als Gegenwelt gegenübergestellt. Denn während das Kind seinem Schicksal eher

---

7 Éric-Emmanuel Schmitt, *L'enfant de Noé*, Paris 2004, S. 121.

stoisch (u. a. auch deswegen, weil es sich naturgemäß nichts darunter vorstellen kann) entgegensieht, versuchen Arzt, Krankenhauspersonal und Eltern eine ›heile Welt‹ um ihn aufzubauen, indem sie schweigen, als könnten sie dadurch den Tod umgehen. Dadurch entsteht oberflächlich der Eindruck, das Unvermeidliche sei aufzuhalten. »Si tu dis ‹mourir› dans un hôpital, personne n'entend« (S. 13) beschwert sich Oscar. Doch ist es genau diese Verhaltensweise der Erwachsenen, die er als Feigheit auslegt. Denn selbstverständlich hat »Krankenhaus« auch mit Tod zu tun. Mit den Erwachsenen, die diesen Sachverhalt leugnen, will er nichts (mehr) zu tun haben, vor allem nicht mit seinen Eltern, die davonlaufen, als sie von seinem nahen Tod unterrichtet werden (S. 22), anstatt sich mit ihrem Kind dem Schicksal zu stellen. Einzige Ausnahme ist Mamie-Rose, eine alte Frau, die ehrenamtlich Kranke betreut[8] und in Oscars Fall zur Sterbebegleiterin wird. Sie fragt er auf den Kopf zu:

– Mamie-Rose, j'ai l'impression que personne ne me dit que je vais mourir.

Elle me regarde. Est-ce qu'elle va réagir comme les autres? S'il te plaît, l'Étrangleuse du Languedoc, résiste et conserve tes oreilles!

– Pourquoi veux-tu qu'on te le dise si tu le sais, Oscar?

Ouf, elle a entendu. (S. 14)

8 »rose«, da die freiwillig in Krankenhäusern helfenden Frauen in Frankreich rosa gekleidet sind. Sie entsprechen den »Grünen Damen« in Deutschland.

Sie ist es auch, die Oscar verrät, dass er nur noch zwölf Tage zu leben hat (S. 31), und ihm rät, Gott Briefe zu schreiben, in denen er ihm mitteilen könne, wie ihm zumute ist, und in denen er täglich einen Wunsch äußern könne, allerdings keinen materiellen, sondern einen spirituellen (S. 17).

Zunächst reagiert Oscar wie alle Kinder, denen Gott als Weihnachtsmann vorgestellt wird, mit Rauschebart usw. Er findet die Vorstellung, einem solchen Gott zu schreiben, geradezu lächerlich. Luc Ferry äußert sich dazu folgendermaßen: »La question du sens ne trouve plus de lieu où s'exprimer [...]. Jadis prise en charge par la foi, elle tend aujourd'hui à devenir caduque, pour ne pas dire ridicule.«[9]

Mit dieser Vorstellung des Helden räumt Mamie-Rose jedoch sofort auf. Denn Gott hat überhaupt nichts mit dem Weihnachtsmann zu tun (S. 15). Gott macht unsere Einsamkeit erträglicher.

Damit wird das weite philosophische Antithema zum Existentialismus Albert Camus' und Jean-Paul Sartres heraufbeschworen, wo die Abwesenheit Gottes den Menschen auf sich selbst zurückwirft, wodurch er frei wird und dadurch erst eigenverantwortlich für sein Tun.

Im Streitgespräch zwischen Camus' Meursault und dem Gefängnispfarrer am Tag vor seiner Hinrichtung fragt ihn der Pfarrer: »»N'avez-vous donc aucun espoir et vivez-vous avec la pensée que vous allez mourir tout entier? – Oui«, ai-je répondu.«[10] Für Meursault gibt es nur

9 Ferry 1996, S. 19.
10 Albert Camus, *L'Étranger*, hrsg. von Brigitte Sahner, Stuttgart 1984 (Reclams Universal-Bibliothek 9169), S. 136.

das Leben. Den Tod. Danach: nichts. Die völlige Negierung der Transzendenz wird klar, als Meursault feststellt, dass sich nichts, aber auch gar nichts hinter den (Gefängnis-)Mauern verbirgt. Sein Leben besteht nur! in der Existenz. Die Frage nach der Metaphysik stellt sich ihm nicht. Bedingungslos unterzieht er die oberflächliche Hoffnung des Pfarrers auf das ›glückliche‹ Jenseits seiner Einsicht in das Sein, d. h. das Verurteilt-Sein:

»Il avait l'air si certain, n'est-ce pas? Pourtant, aucune de ses certitudes ne valait un cheveu de femme. Il n'était même pas sûr d'être en vie puisqu'il vivait comme un mort. [...] Mais j'étais [...] plus sûr que lui, sûr de ma vie et de cette mort qui allait venir. [...] Rien, rien n'avait d'importance et je savais bien pourquoi. [...] Les autres aussi, on les condamnerait un jour. Lui aussi, on le condamnerait.«[11]

Während Camus in seiner Antimetaphysik den Akzent auf die Verurteilung des Menschen zum Tode legt, woraus er sich durch die Revolte und das Verlachen der Absurdität des Lebens befreien kann (der glückliche Sisyphos), stellt Sartre in seinem Essai *L'Existentialisme est un humanisme* die These auf, dass der Mensch wegen der Abwesenheit Gottes zur Verantwortung verurteilt sei.

Dostoïevsky avait écrit «si Dieu n'existait pas, tout serait permis.» [...] En effet, tout est permis si

11 Ebd., S. 139 f.

Dieu n'existe pas, et par conséquent l'homme est délaissé, parce qu'il ne trouve ni en lui, ni hors de lui une possibilité de s'accrocher. Il ne trouve d'abord pas d'excuses. Si, en effet, l'existence précède l'essence, on ne pourra jamais expliquer par référence à une nature humaine donnée et figée; autrement dit, il n'y a pas de déterminisme, l'homme est libre, l'homme est liberté. Si, d'autre part, Dieu n'existe pas, nous ne trouvons pas en face de nous des valeurs ou des ordres qui légitimeront notre conduite. [...] Nous sommes seuls, sans excuses. C'est ce que j'exprimerai en disant que l'homme est condamné à être libre. Condamné, parce qu'il ne s'est pas créé lui-même, et par ailleurs cependant libre, parce qu'une fois jeté dans le monde, il est responsable de tout ce qu'il fait.[12]

Ganz anders ist dagegen die Ansicht der spirituellen Lehrerin Oscars und damit auch die des Philosophen É.-E. Schmitt: Die Idee Gottes mache unsere Einsamkeit erträglicher. Es gibt einen Sinn jenseits dessen, was Menschen als sinnvoll betrachten. Sie verweist gerade auf die Transzendenz, wodurch das Leben über die reine Existenz hinaus erst Sinn erhält. (Vgl. dazu das geschilderte Hoggar-Erlebnis É.-E. Schmitts.)

Der von Mamie-Rose evozierte Gott weist nicht die säkularisierten Züge auf, die ihn üblicherweise menschlich machen sollen. Seine Nicht-Anwesenheit,

12 Jean-Paul Sartre, *L'existentialisme est un humanisme*, Paris 1946, S. 36 f.

dargestellt durch die Adressenlosigkeit, deutet zunächst auf Distanz hin. Doch durch die räumliche Entgrenzung dieses Gottes (es wird nie von Himmel usw. gesprochen) entsteht Nähe. Obwohl das nie ausdrücklich gesagt wird, erkennt der Leser seine Allgegenwärtigkeit. Ihm kann Oscar (und nicht nur er) Briefe schreiben, ohne seine genaue Adresse zu kennen. Gott reagiert nicht im Schema der realen Welt, nicht wie die Erwachsenen meinen, dass er reagieren müsste, nämlich menschlich.

Da Oscar überhaupt keine Ahnung von Religion hat (aus dem Wenigen, was man der Erzählung entnehmen kann, scheint er atheistisch aufzuwachsen), ist er erstaunt, dann neugierig, aber auch abgestoßen vom Leiden Christi. Mit Hilfe der schlichten Darlegung von Mamie-Rose begreift er, was es mit dem grundsätzlichen Unterschied zwischen einem Gott Superstar (S. 56 ff.) und dem leidenden Christus auf sich hat.

Auf zurückhaltende, gleichzeitig aber sehr eindrückliche Weise erklärt die spirituelle Lehrerin dem Zehnjährigen, dass kein Mensch vom Leiden ausgeschlossen ist. Mit anderen Worten: Leiden ist Teil menschlichen Seins. Aber:

– [...] Il y a souffrance et souffrance. Regarde mieux son visage. Observe. Est-ce qu'il a l'air de souffrir?
   – Non. C'est curieux. Il n'a pas l'air d'avoir mal.
   – Voilà. Il faut distinguer deux peines [...], la souffrance physique et la souffrance morale. La souffrance physique, on la subit. La souffrance morale, on la choisit.

– Je ne comprends pas.

– Si on t'enfonce des clous dans les poignets ou les pieds, tu ne peux pas faire autrement que d'avoir mal. Tu subis. En revanche, à l'idée de mourir, tu n'est pas obligé d'avoir mal. Tu ne sais pas ce que c'est. Ça dépend donc de toi. (S. 57)

Um diesen lebensphilosophischen Ansatz bildlich darzustellen, erzählt Mamie-Rose, die ehemalige Catcherin, die Geschichte ihrer Kollegin Plum Pudding, deren Name bereits auf charakterliche Schwächen verweist. Sie wollte nicht sterben, zerbricht jedoch an dem Wissen, wie alle anderen Menschen sterblich zu sein (S. 58 f.). Daraus zieht Mamie-Rose den Schluss: »Les gens craignent de mourir parce qu'ils redoutent l'inconnu« (S. 59). Was aber ist das Unbekannte, fragt sie weiter. Da wir es nicht wissen, schlägt sie Oscar vor »de ne pas avoir peur mais d'avoir confiance« (ebd.).

Damit wird auf ganz populäre Weise der grundsätzliche Unterschied, der den Philosophen vom Gläubigen trennt, für Laien dargelegt: Es ist das Vertrauen.

Die grundsätzliche philosophische Haltung nämlich ist eine zweifelnde. Alles wird hinterfragt. Denn für den Philosophen gibt es nur vorläufige Antworten, die ihrerseits neue Fragen nach sich ziehen. Ganz anders der Gläubige: er vertraut auf das Transzendente, das, was sich (nach menschlichen Maßstäben) nicht verstehen lässt, aber zu existieren scheint. Nochmals macht die Ex-Catcherin das am Bild des Gekreuzigten fest: »Il se répète: ça me fait mal mais ça ne peut pas être un mal. Voilà! C'est ça, le bénéfice de la foi« (S. 59).

Mit dieser Feststellung entkräftet Mamie-Rose auch einen wesentlichen Unruheherd in Oscar, nämlich den Verdacht, dass er vielleicht an seiner unheilbaren Krankheit selbst schuld sein könnte.

Nun könnte man meinen, es gehe dem Autor in dieser Erzählung lediglich um eine Art Lebens- bzw. Sterbehilfe für Kinder. Dem ist aber nicht so.

Vielmehr geht es um einen insgesamt lebens-, ja existenzphilosophischen Ansatz, der jedoch über die Philosophie hinausweist. Es geht um das ›Metaphysische‹, das die reine Philosophie nicht mehr erfassen kann. Denn, so äußert sich Éric-Emmanuel Schmitt im Interview: »le philosophe ne croit pas, mais en profondeur, il est mû par le croyant qui organise l'histoire et affirme ses convictions«.[13]

Das zeigt sich in der Erzählung deutlich darin, dass Oscar in den ihm verbleibenden zwölf Tagen (s)ein ganzes Leben durchläuft.

Mit Hilfe von Mamie-Rose organisiert der Held seine restliche Lebenszeit; aufgeteilt wird sie in die charakteristischen Stadien des Daseins: Kindheit, Adoleszenz, das junge Erwachsenenalter (Heirat), der reifere Erwachsene, die Midlife-crisis, das Alter mit seinen Einsichten, bis zur vollkommenen Hinfälligkeit kurz vor dem Tod.

Mit jedem Lebensabschnitt durchläuft Oscar einen weiteren Bewusstseinsstand und reift in der kurzen Zeit geistig so heran, dass Sterben und Tod nicht mehr den Schrecken besitzen, der ihnen in unserer Gesell-

---

13 Interview mit Claire Lesegretain; s. Anm. 6.

schaft beigemessen wird, wie er auch dem Leser am Beispiel von Oscars Eltern vermittelt wird. Es sind die Erwachsenen, die vor dem Tod davonlaufen, das Leben mit Gebrauchsanweisungen bewältigen wollen (vgl. dazu Oscars Vater und dessen Manie, Spiele nicht zu spielen, sondern die Gebrauchsanweisungen der Spiele zu verstehen), dem Alter mit Äußerlichkeiten (roter Jeep usw.) beizukommen suchen oder sich in tröstliche Floskeln flüchten.

Im ›Alter‹ von 90 Jahren begreift Oscar, worin das Geheimnis Gottes besteht: »regarde chaque jour le monde comme si c'était la première fois« (S. 89).

In seinem vorletzten Brief an Gott resümiert der sich wie ein Hundertjähriger fühlende Held den Stellenwert des Lebens: »Au départ, on le surestime, ce cadeau: on croit avoir reçu la vie éternelle. Après, on le sous-estime, on le trouve pourri, trop court, on serait presque prêt à le jeter. Enfin, on se rend compte que ce n'était pas un cadeau, mais juste un prêt« (S. 91).

So erhält auch Oscars letzte Anweisung: »Seul Dieu a le droit de me réveiller« (S. 94) ihren ganz eigenen Sinn. Sie ist sein eigentliches Vermächtnis: Es gibt Gott.

Wie bereits angemerkt, handelt es sich bei der Erzählung *Oscar et la dame rose* nicht um ein Jugendbuch. Vielmehr richtet sich der Autor an einen ganz gewöhnlichen Leser, dem philosophische Fragestellungen fremd sind. Personenkonstellation und der vom Autor verwendete Sprachstil bieten jedoch insbesondere Jugendlichen (aber nicht nur diesen!!) einen möglichen Ansatz, sich mit den Themen Leben –

Sterben in Verbindung mit der Theodizee[14] des Christentums auseinanderzusetzen. Der Erzähler doziert nicht, sondern stellt Leben und Tod in ihrem alltäglichen Stellenwert dar. Er belässt sie in ihrer Normalität. Sterben ist etwas Gewöhnliches, das alle Lebewesen betrifft und nicht, wie oft dargestellt, etwas Außergewöhnliches. Die Versprachlichung des als sperrig geltenden Themas wird durch den Stil, die Verwendung des *français familier*, teilweise auch *argotique*, noch zusätzlich erleichtert, ja teilweise durch den Sprachwitz aufgehoben. Beispiel: »[...] j'aurais pu aussi bien mettre: ‹On m'appelle Crâne d'Œuf, j'ai l'air d'avoir sept ans, je vis à l'hôpital à cause de mon cancer et je ne t'ai jamais adressé la parole parce que je crois même pas que tu existes.› Seulement si j'écris ça, ça la fout mal, tu vas moins t'intéresser à moi. Or j'ai besoin que tu t'intéresses« (S. 6).

Auch die Charakterisierung der Heldin, Mamie-Rose, und ihre Erinnerungen an ihre Mitstreiterinnen aus ihrer Zeit als Catcherin (ihr Kampfname war immerhin »L'Étrangleuse du Languedoc«) tragen dazu bei, dass der populäre Ansatz des Umgangs mit dem Thema Sterben zunächst von der ›schwierigen‹ Sache wegzuweisen scheint. Erst bei genauerer Lektüre erkennt der Leser diese Konstruktion als eine Attrappe, hinter der sich die ernsthafte Auseinandersetzung mit

14 Die Theodizee (von griech. *theos* ›Gott‹ und *dikē* ›Gerechtigkeit‹) stellt die Frage nach der Rechtfertigung Gottes angesichts des Leidens der Menschen und damit nach der Rechtfertigung des Leidens, des Bösen überhaupt: wie kann der gütige, gerechte, allmächtige Gott das zulassen? – Der Begriff (frz. *théodicée*) geht auf Gottfried Wilhelm Leibniz zurück.

der Metaphysik vollzieht. Gerade der zuletzt genannte Gesichtspunkt ist von der literarischen Kritik häufiger negativ hervorgehoben worden, ohne dass man allerdings erkannt hat, dass sich hinter der Erzählung mehr verbirgt als ein Weihnachtsmärchen mit philosophischem Ansatz oder eine Beruhigungspille für Kinder im Sterben. Absichtlich führt Éric-Emmanuel Schmitt die Leser auf diese Spur, um desto eindrücklicher die Wahrheiten, die es zu sagen gilt, auf einfache Weise zur Sprache zu bringen. Erst durch diese Vereinfachung gewinnt die Theodizee ihre eigentliche Wirksamkeit.

Wolfgang Ader

Inhalt